Sobre a mentira

Dados Internacionais de Catalogação na Publicação (CIP)
(Câmara Brasileira do Livro, SP, Brasil)

Agostinho, Santo, Bispo de Hipona, 354-430
　　Sobre a mentira / Santo Agostinho ; tradução de
Alessandro Jocelito Beccari. – Petrópolis, RJ :
Vozes, 2018. – (Vozes de Bolso)

　　Título original : De mendacio liber unus

　　4ª reimpressão, 2023.

　　ISBN 978-85-326-5907-1

　　1. Agostinho, Santo, Bispo de Hipona, 354-430.
Sobre a mentira 2. Verdade e mentira – Aspectos
religiosos – Cristianismo – Obras anteriores a 1800
I. Título. II. Série.

18-19443　　　　　　　　　　　　　　　　　　CDD-230

Índices para catálogo sistemático:
1. Agostinho, Santo : Teologia cristã　　230

Cibele Maria Dias – Bibliotecária – CRB-8/9427

Santo Agostinho

Sobre a mentira

Tradução de Alessandro Jocelito Beccari

Vozes de Bolso

Tradução realizada a partir do original em latim intitulado
De mendacio liber unus

© desta tradução:
2018, Editora Vozes Ltda.
Rua Frei Luís, 100
25689-900 Petrópolis, RJ
www.vozes.com.br
Brasil

Todos os direitos reservados. Nenhuma parte desta obra poderá
ser reproduzida ou transmitida por qualquer forma e/ou quaisquer
meios (eletrônico ou mecânico, incluindo fotocópia e gravação)
ou arquivada em qualquer sistema ou banco de dados sem
permissão escrita da editora.

CONSELHO EDITORIAL

Diretor
Gilberto Gonçalves Garcia

Editores
Aline dos Santos Carneiro
Edrian Josué Pasini
Marilac Loraine Oleniki
Welder Lancieri Marchini

Conselheiros
Elói Dionísio Piva
Francisco Morás
Ludovico Garmus
Teobaldo Heidemann
Volney J. Berkenbrock

Secretário executivo
Leonardo A.R.T. dos Santos

Editoração: Ana Lucia Q.M. Carvalho
Diagramação: Sheilandre Desenv. Gráfico
Revisão gráfica: Alessandra Karl
Capa: visiva.com.br
Arte-finalização: Ygor Moretti
Ilustração de capa: ©New vision | Shutterstock

ISBN 978-85-326-5907-1

Este livro foi composto e impresso pela Editora Vozes Ltda.

Sumário

Dificuldade do assunto a ser examinado, 9

Piadas não são mentiras, 10

O que é a mentira. Se, para mentir, é necessário ou suficiente que exista a vontade de enganar, 10

Porque mentir às vezes pode ser útil ou lícito, 12

Se uma mentira poderia ser útil ocasionalmente é uma questão muito maior e necessária, 15

A opinião segundo a qual às vezes se deve mentir, 16

A opinião segundo a qual nunca se deve mentir, 17

Os exemplos a favor da mentira retirados do Antigo Testamento são postos por terra, 17

Não há exemplo de mentira à disposição no Novo Testamento. A circuncisão de Timóteo não foi simulada. Pedro foi corrigido de bom grado por Paulo, 19

A mentira não é autorizada, seja pela vida comum, seja pelos exemplos das Escrituras, 22

A mentira é uma iniquidade que leva a alma à morte e não deve ser admitida nem mesmo em prol da salvação temporal de alguém, 22

Não se deve mentir para defender a castidade levando-se em conta a luxúria, 25

Não se deve mentir com a intenção de ajudar outras pessoas a se salvar, 27

Alguns opinam que a mentira deve ser permitida quando afasta um homem da possibilidade de ser violentado sexualmente por outro, 28

Esse argumento e exemplo são refutados, 29

Os pecados dos outros não devem ser imputados àquele que pode impedi-los com um pecado mais leve. Não é cúmplice dos pecadores aquele que não deseja pecar para coibi-los. Cada um deve antes evitar seus próprios pecados mais leves do que os mais pesados dos outros, 30

Acaso não se deve mentir para evitar a impureza do corpo?, 32

As mentiras que prejudicam outras pessoas não devem ser admitidas para evitar a impureza do corpo, 34

A mentira nunca é permitida no que diz respeito à doutrina religiosa, 35

Mentiras que não prejudicam ninguém e podem ser úteis quando aceitas, 37

Se existem mentiras honestas que não são benéficas nem prejudicam quem quer que seja, 38

Dar falso testemunho sempre equivale a mentir?, 39

O falso testemunho e a mentira, 40

É possível mentir para não entregar um homicida ou um inocente que está sendo procurado para ser justiçado?, 40

O Bispo Firmo de Tagaste não quis mentir nem trair e foi capaz de suportar tormentos, 42

O que responderás quando, ciente do paradeiro, fores interrogado sobre alguém que está sendo procurado para ser morto, 43

Oito tipos de mentira, 44

Porventura se deve mentir quando uma condição inevitável é proposta, 46

Nesse caso, devem ser levadas em consideração as santas autoridades, que proíbem a mentira, e os ensinamentos que se derivam das ações dos santos, 46

O preceito que ordena oferecer a outra face, 48

O preceito de não jurar por motivo algum, 48

O preceito de não pensar no amanhã, 49

O preceito segundo o qual os apóstolos deveriam nada levar em suas viagens, 50

A boca dúplice de voz e coração: sobre essa boca seja dito: *A boca que mente* etc., 51

O Evangelho também menciona uma boca do coração, 52

Se somente é proibida aquela mentira com a qual se difama alguém, 53

O vers. 7 do Sl 5 também deve ser entendido de três modos, 54

Está escrito: *Destróis todos os que falam a mentira*, 56

Como deve ser entendido o preceito que proíbe dar falso testemunho, 57

Como se deve interpretar outra passagem da Escritura, 58

O que foi encontrado até o momento a respeito dos dois lados da investigação precedente, 58

O erro na avaliação do mal nasce da parcialidade e do costume. Os dois lados de nossa vida, 60

Os pecados menores: se acaso são admitidos não pela utilidade temporal, mas talvez para a conservação da santidade, 61

O pudor em relação ao corpo, a integridade da alma e a verdade da doutrina devem ser conservados em favor da santidade, 63

O pudor do corpo não é motivo para mentir. Quando a fé é declarada. A pureza da alma, 64

Epílogo, 66

Os defensores da mentira são como cegos, 68

Notas, 71

Dificuldade do assunto a ser examinado

1.1 Há uma grande questão sobre a mentira que frequentemente nos inquieta, mesmo em nossas ações cotidianas: ou reprovamos como mentira o que talvez não seja mentira, ou por vezes julgamos necessário mentir uma mentira honesta, conforme o dever e a misericórdia. Trataremos com cuidado dessa questão, procurando fazer as perguntas que usualmente são feitas a seu respeito. Entretanto, caso encontremos muito pouco, ou se porventura nada seja estabelecido por nós, esse tratado o indicará satisfatoriamente ao leitor atento. De fato, é uma questão extremamente sorrateira, que com frequência ilude a atenção e foge do investigador, ocultando-se em seus antros cavernosos: quando encontrada, escorrega das mãos, depois aparece outra vez e novamente se esvai. No final, todavia, uma caçada bem planejada irá capturar aquilo que tínhamos em mente. Se nela houver algum erro, assim como a verdade liberta de todo erro, a falsidade implica nele. Penso que nunca se erre com mais segurança como quando se erra por amor extremo à verdade e rejeição máxima da falsidade. Para aqueles que nos repreenderem severamente dizendo que isso é um exagero, a própria verdade talvez diga que ainda é insuficiente.

Quem quer que sejas que estiveres lendo, não repreendas nada, com conhecimento de causa, sem antes teres lido até o fim, e assim repreendas menos. Não busques eloquência. Debruçamo-nos muito sobre esses assuntos, porém, tivemos pressa de terminar essa obra tão necessária para a vida cotidiana, por isso nosso cuidado com as palavras foi tênue ou quase nulo.

Piadas não são mentiras

2.2 Deve-se abrir uma exceção para as piadas, pois nunca foram consideradas mentiras, já que têm um sentido muito evidente pelo modo como são contadas e também pelo estado de ânimo do piadista. Assim, não são de modo algum enganadoras, embora não enunciem a verdade. Que gênero de proveito representam para as almas perfeitas é outra questão, que não nos encarregamos de esclarecer. Portanto, excetuados os gracejos, a primeira coisa a fazer é não ter em conta que esteja mentindo quem não mente.

O que é a mentira. Se, para mentir, é necessário ou suficiente que exista a vontade de enganar

3.3 Portanto, é necessário compreender o que seja a mentira. Pois não é todo aquele que diz algo falso que está mentindo, se crê ou opina ser verdade o que diz. Crer e opinar são diferentes nisto: às vezes aquele que crê sente que não tem conhecimento daquilo em que acredita – mesmo que não duvide em hipótese alguma que não saiba aquilo que ignora, se crê firmemente. Porém, quem opina, julga saber o que desconhece. Ora, quem quer que enuncie algo que, em sua mente, tenha acreditado ou opinado, mesmo que seja falso, não mente. Pois deve isso à enunciação de sua fé: profere, por meio dela, aquilo que tem em mente e acredita ser como profere. Entretanto, não é sem vício, porque ainda que não minta, caso acredite em coisas nas quais não deveria acreditar ou ignore se sabe aquilo que pensa, toma o desconhecido pelo conhecido. É por isso que diz uma mentira quem tem uma coisa em sua mente e enuncia outra por meio de palavras ou quaisquer outros signos. Daí que se diga que o coração do mentiroso é duplo, ou seja, que nele existe um raciocínio duplo: pensa ou sabe a verdade de uma coisa, mas não a exprime, e diz outra no lugar daquela, sabendo ou pensando que é falsa. Do que resulta que se pode dizer que é falso aquele que não mente, se pensa ser verdade o que diz, e que é possível considerar verdadeiro aquele que mente, caso pense enunciar o falso no lugar do verdadeiro, embora seja realmente o contrário que enuncia.

Portanto, é a partir da opinião de sua mente, e não das próprias coisas, que deve ser julgada a verdade ou a falsidade daquele que está mentindo ou não. E, assim, aquele que enuncia o falso no lugar do verdadeiro, julgando ser o falso verdadeiro, pode ser considerado errôneo ou temerário, mas não pode ser tido, de maneira isenta, como mentiroso, porque, ao enunciar, não tem um coração duplo, nem deseja enganar, mas é enganado. Porém, a culpa do mentiroso é o desejo de mentir enunciado em sua própria alma: ou quando engana, caso se dê crédito àquilo que ele diz, ou não engana: seja quando não se acredita nele seja quando enuncia uma verdade que pensa não ser verdadeira com a intenção de enganar. Porque, quando se crê nele, em todo caso, não engana, embora desejaria enganar: somente engana na medida em que se julga que ele sabe ou pensa como enuncia.

3.4 Em todo caso, é possível perguntar, de modo ainda mais sutil, se porventura, quando está ausente a vontade de enganar, a mentira esteja inteiramente ausente.

Porque mentir às vezes pode ser útil ou lícito

4.4 E se porventura alguém, dizendo algo falso, que presume falso, faça isso, no entanto, porque pensa que não será crido, para que, desse modo, com uma falsa fé, detenha seu interlocutor, o qual percebe que não deseja acreditar nele? Aqui, de fato, mente-se de forma intencional para não enganar – se mentir é enunciar algo diferente do que se sabe ou pensa ser o caso. Se, porém, a mentira não existe a não ser quando algo é enunciado com a intenção de enganar, não mente aquele que diz algo falso, mesmo que saiba e julgue ser falso o que diz, para que seu interlocutor, não crendo nele, não se engane, já que o emissor sabe ou pensa que não será crido pelo interlocutor. Portanto, parece possível que alguém fale algo para que outra pessoa não se engane, porque sente que não será crido por ela. Mas existe o caso oposto: quando algo é dito para que o outro se engane. Pois quem fala a verdade porque sente que não será crido, justamente por esse motivo diz a verdade para que o outro se engane, já que, principalmente porque é ele o emissor, sabe ou presume que a outra pessoa julgue que é falso o que está dizendo. Eis porque, quando se diz algo verdadeiro para que seja julgado como falso, a verdade é dita para enganar.

Logo, deve-se perguntar se mente mais aquele que diz algo falso para não enganar, ou aquele que, para enganar, diz a verdade – tendo em conta que o primeiro sabe ou pensa que diz algo falso, enquanto o segundo pensa ou sabe que diz algo verdadeiro. Pois já dissemos que não mente aquele que não sabe que é falso o que enuncia, se julga dizer a verdade, e que mente mais aquele que enuncia a verdade quando pensa dizer algo falso: porque o que deve ser julgada é sua opinião íntima.

A questão que propomos sobre esses dois casos não é pequena. Uma pessoa pode saber ou pensar que é falso o que diz e, por esse motivo, dizê-lo para não enganar. Assim, por exemplo, se alguém sabe que uma estrada está tomada por ladrões e teme que outra pessoa siga por essa estrada, sabendo que a outra pessoa não lhe dará crédito, dirá que não existem ladrões na mesma, para que, desse modo, seu interlocutor não ande por essa estrada. Ou seja, o emissor crê que existem ladrões na estrada, mas declara o oposto para que seu interlocutor não acredite nele pensando que ele está mentindo. No entanto, outra pessoa, de maneira oposta, sabendo e julgando ser verdade o que diz, falará a verdade para enganar. Pois, quando o emissor diz à pessoa que não acreditará nele que há ladrões naquela estrada, na qual o emissor sabe que há, ele faz isso para que seu interlocutor siga com maior confiança pela mesma, e, consequentemente, encontre os ladrões, já que pensava ser falso o que o emissor dizia. Qual dos dois mentiu? Aquele que escolheu dizer algo falso para não enganar ou aquele que preferiu falar a verdade para enganar? O primeiro que, ao declarar uma falsidade, fez com que uma verdade resultasse daquilo que disse? Ou o segundo, que, falando a verdade, fez com que se seguisse uma falsidade do que declarou? Será que ambos mentiram? O primeiro, porque quis dizer uma falsidade? O segundo, porque quis enganar? Será que nenhum dos dois mentiu?

O primeiro, porque não teve intenção de enganar? O segundo, porque teve vontade de dizer a verdade? Não se trata aqui de saber qual dos dois pecou, mas qual deles mentiu. Porque logo vemos que o segundo pecou ao dizer a verdade, fazendo com que a outra pessoa encontrasse os ladrões, e o primeiro obviamente não pecou, pois, dizendo algo falso, fez com que a outra pessoa evitasse a ruína.

Mas esses exemplos podem ser invertidos: alguém pode querer que a outra pessoa, a qual não quer enganar, sofra algo mais grave. De fato, muitos, ao saber de coisas verdadeiras, trouxeram a ruína sobre si, quando essas coisas foram de tal gravidade que deveriam ter sido escondidas deles. E pode ser que se deseje levar alguma vantagem sobre a pessoa a quem se quer enganar. De fato, houve pessoas que teriam cometido suicídio se soubessem que algo de mal acontecera a seus entes queridos, porém foram poupadas por achar que se tratava de notícia falsa. Para essas pessoas foi tão proveitoso ser enganadas quanto foi prejudicial para outras conhecerem a verdade.

Não se trata, portanto, de sabermos com que intenção de atender ao interesse ou ser nocivo – dizendo uma falsidade para não enganar ou uma verdade para enganar; queremos saber, deixando de lado o que seria conveniente ou inconveniente aos interlocutores, quem estava mentindo, no que diz respeito à verdade ou à falsidade: se ambos ou nenhum. Pois se a mentira é um enunciado dito com vontade de expressar algo falso, mentiu mais o que desejou dizer algo falso, e disse o que desejou, embora para não enganar. Se, no entanto, a mentira é qualquer enunciado dito com o desejo de enganar, não foi este último, mas aquele outro que mentiu, pois, de fato, quis enganar dizendo a verdade. Porque, se a mentira é um enunciado dito com a vontade de transmitir alguma falsidade, ambos mentiram: o primeiro ao desejar que seu enunciado fosse falso, o segundo por querer que sua verdade fosse crida como falsa. Ademais, se a mentira é um enunciado falso que se enuncia querendo enganar, nenhum dos dois mentiu; porque um teve vontade de dizer algo falso para persuadir da verdade, e o outro, para convencer de algo falso, disse a verdade.

Em suma, toda temeridade e mentira se afastam quando cremos que é verdadeiro o que sabemos e que é necessário que isso seja enunciado, e quando queremos convencer daquilo que enunciamos. Se, entretanto, pensamos ser verdade o que é falso, ou tomamos por conhecido o desconhecido, ou acreditamos no que não deve ser crido, ou enunciamos o que não deve ser enunciado, não tentando persuadir de outra coisa que daquilo que enunciamos, o erro da temeridade está presente, mas não a mentira. Portanto, não há o que temer quanto a essas definições, quando se tem uma boa consciência: enunciando-se o que se entende, pensa ou crê ser verdade, e quando não há desejo de persuadir de outra coisa a não ser daquilo que, de fato, se enuncia.

Se uma mentira poderia ser útil ocasionalmente é uma questão muito maior e necessária

4.5 Uma pergunta maior e mais necessária é se, porventura, uma mentira seria útil. Porque alguém pode mentir sem intenção de enganar, ou fazer isso para não enganar seu interlocutor, embora o próprio enunciado seja falso, já que, desse modo, deseja persuadir da verdade. E podemos duvidar de que alguém mente quando diz a verdade para enganar. No entanto, ninguém duvida do que esteja na mente daquele que deseja enunciar algo falso para enganar. Por isso, um enunciado falso proferido com a vontade de enganar é uma mentira manifesta. Mas é outra questão se apenas isso é mentira.

A opinião segundo a qual às vezes se deve mentir

5.5 Por agora, inquiramos sobre esse tipo de mentira, a respeito de que todos estão de acordo: se é útil às vezes enunciar algo falso com a intenção de enganar. Pois, os que são desse pensamento, demonstram suas opiniões com testemunhos bíblicos, lembrando o episódio em que Sara, apesar de ter rido, negou aos anjos que tivesse rido[1]. Jacó, interrogado por seu pai, respondeu que era Esaú, seu filho mais velho[2]. As parteiras egípcias, que mentiram para que os recém-nascidos hebreus não fossem mortos, também foram aprovadas e recompensadas por Deus[3]. E, desse modo, coligindo muitos exemplos, relembram as mentiras desses homens, que não ousaríamos culpar, e, assim, pensaríamos que, às vezes, é possível que haja uma mentira que não seja apenas livre de repreensões, mas digna também de louvores.

Para pressionar não apenas aqueles que se dedicam a coisas divinas, mas também todos que têm bom-senso, acrescentam, dizendo: se alguém se refugia junto a ti, alguém que, com uma mentira tua pode ser libertado da morte, não mentirias? Se uma pessoa doente perguntasse algo que não seria útil a ela saber, e que poderia ser afligida por algo ainda pior caso não respondesses nada, ousarias dizer a verdade, para prejuízo da pessoa, ou te manterias calado ao invés de, com uma mentira honesta e misericordiosa, vires em socorro da saúde dessa pessoa? Com esses e muitos outros argumentos, julgam poder nos convencer de que é possível às vezes mentir se uma causa ponderada o exige.

A opinião segundo a qual nunca se deve mentir

5.6 Contra esses argumentos, aqueles que nunca aprovam que se deva mentir, avançam argumentos muito mais fortes, fazendo uso primeiramente da autoridade divina, já que no próprio decálogo está escrito: *Não dês falso testemunho*[4], em que se classificam todos os tipos de mentira, pois quem enuncia algo dá testemunho do que está em sua alma. Mas, para que alguém não conteste que nem toda mentira deve ser chamada de falso testemunho, o que se dirá do que está assim escrito: *A boca que mente mata a alma?*[5] Para que alguém não julgue que se pode mentir excepcionalmente, diz em outro lugar: *Destróis todos que falam a mentira*[6]. Daí que, de sua própria boca, o Senhor disse: *Seja em tua boca: sim, sim e não, não; o que for além provém do maligno*[7]. E também o Apóstolo, quando recomendou despir-se do velho homem, com que se devem entender todos os pecados, com razão diz, colocando em primeiro plano: *Por isso, pondo de lado a mentira, dizei a verdade*[8].

Os exemplos a favor da mentira retirados do Antigo Testamento são postos por terra

5.7 E os mesmos não se dizem atemorizados pelos exemplos retirados dos livros antigos, pois quando alguma coisa é dita ou feita, pode ser entendida de maneira figurada, ainda que aconteça realmente. Ora, o que é dito ou feito de maneira figurada não é mentira, já que todo enunciado deve fazer referência àquilo que enuncia. Assim, tudo o que é feito ou dito figurativamente enuncia aquilo que significa para aqueles a quem é declarado de modo que o entendam. Daí que devemos crer naqueles homens dos tempos proféticos, os quais são lembrados como dignos de autoridade, e também devemos acreditar em todas as coisas que foram escritas sobre eles, tanto as que fizeram quanto as que disseram profeticamente. E não menos proféticas foram as coisas que sucederam a eles, quaisquer que tenham sido, porque, pelo mesmo Espírito profético, foi ordenado que fossem escritas e lembradas.

Sobre as parteiras, entretanto, não se pode afirmar que revelaram, por meio do Espírito profético, uma verdade futura quando disseram uma coisa no lugar de outra para o faraó. De qualquer forma, revelaram alguma coisa, mesmo que, para elas, fosse desconhecido aquilo que sua ação revelou. A seu modo, foram aprovadas e recompensadas por Deus. Quem estava acostumado a mentir para causar dano, se agora mente para fazer o bem, já avançou muito.

Porém, uma coisa é aquilo que é louvável em si mesmo, outra aquilo que se prefere em comparação com algo pior. Quando uma pessoa está saudável, nós a felicitamos de um modo diferente daquele que fazemos quando ela está doente e melhorou um pouco. As próprias Escrituras dizem que até mesmo Sodoma foi justificada em comparação com os crimes do povo de Israel[9]. Por essa regra, alinham todas as mentiras que são proferidas nos livros antigos, e não as entendem como repreensíveis:

não podem ser censuradas ou porque houve aumento e esperança de progresso ou porque revelaram alguma coisa, não sendo mentiras completamente.

Não há exemplo de mentira à disposição no Novo Testamento. A circuncisão de Timóteo não foi simulada. Pedro foi corrigido de bom grado por Paulo

5.8 Nos livros do Novo Testamento, com exceção das expressões em sentido figurado do Senhor, se consideramos a vida e os costumes dos santos, seus ditos e suas ações, não se pode indicar nada que induza à imitação da mentira. A simulação de Pedro e Barnabé não só não foi citada, mas também foi repreendida e corrigida[10]. Nem, como pensam alguns, Paulo usou desse tipo de simulação na circuncisão de Timóteo ou em algum rito judaico que celebrou. Mas o fez pela sua liberdade de opinião, segundo a qual pregava que a circuncisão não é proveitosa aos gentios nem é prejudicial aos judeus. Por isso, não julgou que os gentios devessem ser obrigados ao costume dos judeus, nem que estes fossem afastados de suas tradições paternas. Daí aquelas palavras dele: *Um incircunciso foi chamado? Não se circuncide. Não chame em juízo o prepúcio. Alguém foi chamado com prepúcio? A circuncisão não é nada, e o prepúcio não é nada; mas sim a observação dos mandamentos de Deus. Cada um permaneça na vocação em que foi chamado*[11].

Como alguém pode apresentar um prepúcio que foi cortado? Porém, não é dito que "não apresente", mas que não viva como se tivesse prepúcio. Ou seja, seria como se ele cobrisse novamente com pele aquela parte que foi descartada e deixasse de ser judeu; como Paulo diz em outra passagem:

Tua circuncisão se fez prepúcio[12]. E o Apóstolo disse isso, não para compelir os pagãos a permanecer incircuncisos, ou os judeus a manter o costume de seus antepassados, mas para que nenhum dos dois povos obrigasse o outro a adotar costumes alheios. Para que cada um tivesse condições e não necessidade de preservar suas tradições.

Caso o judeu deseje, naquilo que não perturbe ninguém, afastar-se das observâncias judaicas, não lhe é proibido pelo Apóstolo. Porque, se Paulo aconselhou os judeus que seguissem suas observâncias foi para que, imperturbados por coisas supérfluas, não deixassem de se aproximar daquelas que são necessárias para sua salvação. Paulo também não proibia que um gentio se circuncidasse, caso o desejasse, e assim demonstrava que não considerava essa prática nociva, mas indiferente: como um selo cuja validade havia se perdido com o tempo. Se já nenhuma salvação era produzida por essa prática, tampouco se deveria temer que ela resultasse em perdição. Por isso também Timóteo, que era incircunciso quando se converteu, por ser de mãe judia, foi circuncidado por Paulo para demonstrar a seus compatriotas, os quais queria converter, que não se ensinava na doutrina cristã que os antigos sacramentos da Lei fossem abomináveis[13]. Com isso, demonstravam aos judeus que o motivo pelo qual os gentios não precisam receber esses sacramentos não é porque fossem maus ou tivessem sido perniciosamente observados pelos patriarcas, mas porque já não eram necessários à salvação depois do advento de tão sublime sacramento, o qual, por tanto tempo, havia sido concebido por meio de prefigurações proféticas nas Antigas Escrituras.

Paulo teria circuncidado também a Tito, como o exigiam os judeus, não fossem os falsos irmãos infiltrados, que desejavam isso para ter algo para disseminar, a respeito dele, que provasse que ele lhes havia dado razão, e pregava que a esperança da salvação evangélica estava na circuncisão da carne e em outras observâncias semelhantes a essa, pois defendiam que, sem elas, Cristo de nada valia[14]. No entanto, Paulo pregava o contrário: Cristo não é de nenhum proveito para aqueles que se circuncidam pensando haver nisso salvação; por isso declarou: *Eis que eu, Paulo, vos digo: se vos circuncidardes, Cristo não vos será de proveito algum*[15]. Era com essa liberdade que Paulo observava as tradições de seus antepassados, tendo cuidado de ensinar que não se deveria pensar que, sem essas observâncias, a salvação cristã não fosse válida. Pedro, entretanto, em sua simulação, compelia os gentios a adotar práticas judaicas, como se a salvação estivesse no judaísmo, como mostram as palavras de Paulo, que disse: *Como obrigas os gentios a se judaizarem?*[16]

Os gentios não se sentiriam obrigados se não vissem que Pedro observava essas tradições, de modo que parecesse que, sem elas, a salvação não fosse possível. Portanto, a simulação de Pedro não pode ser comparada à liberdade de Paulo. E devemos, assim, amar mais a Pedro, o qual de bom grado foi corrigido, e não nos aproveitar da autoridade de Paulo para dar suporte à mentira. Porque Paulo chamou a atenção de Pedro para o reto caminho, em presença de todos, para que os gentios não fossem obrigados a praticar o judaísmo. O próprio Paulo deu testemunho de sua pregação: quando foi considerado inimigo das tradições paternas, embora não desejasse impô-las aos gentios, não teve desdém por essas tradições, mas celebrou-as de acordo com os costumes dos seus antepassados. Dessa forma, demonstrou-lhes claramente que, depois da vinda de Cristo, essas práticas permanecem, não sendo nem perniciosas para os judeus, nem necessárias para os gentios, nem salvadoras para ninguém.

A mentira não é autorizada, seja pela vida comum, seja pelos exemplos das Escrituras

5.9 A autorização para mentir não pode ser aduzida do Antigo Testamento, seja porque não é mentira o que se deve entender que é dito ou feito alegoricamente, seja porque não se propõe que os bons imitem os maus quando estes começam a melhorar e são elogiados, em comparação com seu estado anterior, que era pior. Essa autorização também não pode ser derivada dos livros do Novo Testamento, porque devemos imitar a correção mais do que a simulação, e as lágrimas mais do que a negação de Pedro.

A mentira é uma iniquidade que leva a alma à morte e não deve ser admitida nem mesmo em prol da salvação temporal de alguém

6.9 Com os exemplos supracitados, alguns afirmam com muita confiança que não se deve dar crédito a exemplos aduzidos da vida comum. Em primeiro lugar, porque ensinam que a mentira é uma iniquidade, com base em muitos documentos das Sagradas Letras, principalmente nesta citação: *Odiaste, Senhor, todos os que operam a iniquidade; destróis todos os que falam a mentira*[17]. As Escrituras costumam esclarecer um trecho anterior com outro posterior. Se, por um lado, *iniquidade* é um termo de significado mais genérico, entendemos que *mentira* significa somente uma espécie de iniquidade; por outro lado, considerando-se a diferença de significado entre os verbos, a mentira se coloca como algo ainda pior, porque *destróis* é mais grave que *odeias*. Porque talvez Deus odeie alguém em grau menor, a ponto de não o destruir. Mas a quem Ele destrói, tanto puniu mais severamente quanto odiou com mais veemência. De fato, Ele odeia todos os que praticam a iniquidade, mas destrói os que mentem. Tendo isso posto, como alguém pode afirmar essas coisas e se sentir comovido com situações como esta: e se um homem pede socorro a ti e tua mentira poderia salvá-lo da morte? Essa morte que os ignorantes temem, sem temer o pecado, não mata a alma, mas o corpo: como ensina o Senhor no Evangelho, em que nos instrui que a morte não deve ser temida[18]. Porque a boca que mente mata a alma, não o corpo. As Escrituras são muito claras: *A boca que mente mata a alma*[19]. Não se considera de extrema perversidade que alguém precise morrer espiritualmente para viver corporalmente? O amor ao próximo tem seu limite no amor a si mesmo, como foi dito: *Ama o próximo como a ti mesmo*[20]. Como, pois, alguém ama o próximo como a si mesmo se ao proteger a vida temporal do outro faz com que ele perca a eterna? Visto que, se alguém perde a própria vida temporal em prol da vida temporal do outro, já não o ama como a si mesmo, mas ama-o mais do que a si mesmo, uma vez que foi além da lei da sã doutrina. Portanto, com muito menos razão, alguém seria capaz de, mentindo, perder a vida eterna em benefício da vida temporal do outro. Obviamente, o cristão não deve hesitar em dar sua vida em prol da vida eterna do próximo: nisso o Senhor nos precedeu com seu exemplo, quando por nós morreu. Sobre isso, Ele disse: *Este é o meu mandamento, que vos ameis uns aos outros como eu vos amei. Ninguém tem maior amor do que aquele que dá sua vida por seus amigos*[21].

Ninguém é tão insensato a ponto de declarar que o Senhor, quando fez o que ensinou e ensinou o que fez, estivesse preocupado com outra coisa que a vida eterna dos homens. Portanto, se mentindo se perde a vida eterna, nunca devemos mentir em benefício da vida temporal de quem quer que seja. Com efeito, estes que ficam de mau humor e indignados quando alguém não deseja perder sua alma para que outro envelheça na carne, o que eles diriam se, com nosso roubo ou adultério, pudéssemos salvar alguém da morte? Deve-se, então, roubar ou fornicar? Não estão cientes que se obrigam ao seguinte: se uma pessoa trouxer consigo uma corda e pedir para cometer um crime, afirmando que se enforcará caso não lhe seja concedido, de acordo com o que eles dizem, o crime será consentido para que a vida da pessoa seja salva. Se isso é absurdo e abominável, porque uma pessoa corromperia sua alma com a mentira para salvar a vida de outra? Se a primeira se corrompesse do mesmo modo que a segunda, todos não a condenariam pela torpeza abominável? Portanto, o único ponto ao qual é preciso nos ater nessa questão é se a mentira é uma iniquidade.

Com base nos documentos que foram mencionados acima, devemos nos perguntar se alguém deve mentir em benefício de outro, e também nos perguntaríamos se, pela salvaguarda de outra pessoa, alguém devesse se tornar iníquo. Se a salvação da alma, que só a justiça pode garantir, rejeita isso, e ordena que não coloquemos a salvação acima nem da nossa salvaguarda nem da dos outros, o que nos resta a não ser não duvidar que nunca, seja qual for o motivo, devemos mentir? Não existe nada mais importante e estimado entre os interesses temporais do que a salvaguarda da vida corporal. Por conseguinte, se nem esta deve ser colocada acima da verdade e, desse modo, servir de objeção em defesa da obrigação de mentir, quem enfim pensa que seja bom mentir?

Não se deve mentir para defender a castidade levando-se em conta a luxúria

7.10 Com relação à castidade, se uma pessoa muito honrada apresenta-se a ti e pede que mintas, para com essa mentira livrar-se de um violador, sem dúvida deverias mentir? É fácil responder a essa pergunta: a pureza do corpo depende da integridade da alma e esta, quando rompida, necessariamente decai, embora a primeira possa parecer íntegra. De fato, a castidade não pode ser considerada do mesmo modo que as coisas temporais – como se pudesse ser tirada de nós contra a nossa vontade. Logo, a alma de forma nenhuma deve se corromper pela mentira para beneficiar o corpo, pois a alma sabe que o corpo permanecerá incorrupto se não for corrompido por ela.

Uma violência indesejada, sofrida pelo corpo, deve ser chamada de vexame, mas não de corrupção. Ou, do contrário, se todo vexame é corrupção, nem toda corrupção é torpe, a não ser aquela que é procurada ou consentida com desejo. Porém, a alma é tanto superior ao corpo quanto é capaz de se corromper por más ações. Portanto, em uma situação em que apenas a corrupção voluntária é possível, a castidade pode ser preservada. Por conseguinte, se um violador invadisse um corpo, e isso não pudesse ser evitado, seja por força contrária, seja por deliberação ou mentira, certamente é necessário que digamos que a castidade não pôde ser violada pela luxúria alheia.

Ninguém duvida de que a alma seja melhor que o corpo, e que sua integridade deve ser preferida à do corpo, já que pode ser preservada para sempre. Entretanto, quem poderia declarar que a alma do mentiroso é íntegra? Com efeito, a luxúria se define claramente como um apetite da alma que antepõe coisas temporais a bens eternos. Assim, ninguém poderia nos convencer de que ocasionalmente devêssemos mentir, a não ser que pudesse mostrar que a mentira nos obteria algum bem eterno. Todavia, como alguém se distancia da eternidade na mesma proporção em que se afasta da verdade, é absurdo declarar que algum bem eterno poderia advir desse afastamento. Ou, do contrário, se existe algum bem eterno que a verdade não contém, não é realmente verdadeiro, e nem mesmo é um bem, porque é falso. E assim como a alma se antepõe ao corpo, também a verdade deve ser colocada acima da alma. Pois a alma não só ama a verdade mais do que o corpo, mas mais ainda que a si mesma. Isso porque a alma será tanto mais íntegra e casta quanto mais desfrute da imutabilidade da verdade e menos da própria mutabilidade. Ló, que foi tão justo a ponto de merecer hospedar os anjos, ofereceu suas filhas aos sodomitas para que fossem violadas, para que assim eles se corrompessem com os corpos de mulheres de preferência aos de homens[22]. Com maior diligência e constância não deveríamos conservar a castidade da alma na verdade? Porque a alma é mais verdadeiramente preferível ao corpo que o corpo viril ao feminino.

Não se deve mentir com a intenção de ajudar outras pessoas a se salvar

8.11 Talvez alguém pense que se deve mentir a uma pessoa, para que sua vida seja conservada momentaneamente, ou para que não seja contrariada nas coisas que muito estima, e, assim, possa chegar à verdade eterna. Quem pensa dessa maneira não entende que, em primeiro lugar, não houve desonra que não tivesse que ser aceita da mesma forma, como foi demonstrado acima. Além disso, interferimos na autoridade da própria doutrina, prejudicando-a profundamente, se convencemos aqueles a quem tentamos levar a verdade que, ocasionalmente, seja necessário mentir.

Se a doutrina da salvação consta de ensinamentos que em parte devem ser cridos, em parte entendidos – sendo que estes últimos não podem ser alcançados sem antes serem cridos –, como se poderá crer em alguém que pensa que às vezes seja necessário mentir, já que talvez esteja mentindo no momento em que nos ensina em que devemos crer? Como se poderia saber se no momento em que nos fala não teria alguma razão para fazer uso de uma mentira necessária? Quiçá com uma história falsa, não achasse que pudesse nos amedrontar e afastar da luxúria, e pensasse que, mentindo, cuidasse dos nossos interesses e nos aproximasse dos bens espirituais? Se esse tipo de mentira for admitido e aprovado arruína-se completamente a doutrina da fé, a qual, arruinada, não chega nem mesmo ao entendimento que, adquirido, serve para nutrir as crianças. Assim, se cedemos permissivamente à falsidade, mesmo que abramos apenas uma pequena brecha em qualquer parte da doutrina com uma mentira "necessária", anulamos totalmente o ensinamento da verdade.

O que seria então mais perverso do que colocar vantagens pessoais ou alheias acima da verdade? De fato, quando desejamos que alguém se torne capaz de alcançar a verdade, com uma mentira auxiliadora, fechamos o acesso à verdade. Ou seja, querendo ser convenientes ao mentir, tornamos incerta a verdade que dizemos. Por isso é que, ou não devemos crer nos bons, ou precisamos acreditar em quem mente de vez em quando, ou não devemos crer que os bons às vezes mintam. Dessas três opções, a primeira é perniciosa, a segunda é tola, resta-nos, portanto, a terceira: os bons nunca mentem.

Alguns opinam que a mentira deve ser permitida quando afasta um homem da possibilidade de ser violentado sexualmente por outro

9.12 Embora essa questão tenha sido examinada e tratada sob dois pontos de vista, não é fácil chegar a uma conclusão: ainda precisamos ouvir com atenção os que afirmam que não existe ação tão má que não deva ser feita para evitar outra pior. Na verdade, os atos humanos não se limitam apenas ao que as pessoas fazem, mas também ao que consentem que lhes seja feito. Devido a isso, pergunta-se se um cristão deve optar por queimar incenso aos ídolos para evitar uma violência sexual da parte de um perseguidor que o ameaça, caso ele opte por não queimar o incenso. Aos que perguntam, parece correto questionar por que motivo alguém não mentiria para evitar tamanha infâmia; porque essa anuência, em que um homem prefere sofrer violência sexual a oferecer incenso aos ídolos, dizem que não é um sofrimento involuntário, mas um fato consentido. Será que esse homem não deveria optar tranquilamente pela mentira, que afastaria seu corpo de uma desonra tão medonha?

Esse argumento e exemplo são refutados

9.13 Na argumentação apresentada acima, as questões que merecem ser perseguidas são estas: se o consentimento deve ser entendido como ação; se devemos declarar como consentimento aquilo que não tem aprovação; se aprovação é dizer: "melhor sofrer isso do que fazer aquilo"; se foi melhor para aquele homem oferecer incenso que sofrer agressão sexual, e se, em tais condições, não seria melhor mentir do que oferecer incenso. Ora, se o consentimento for entendido como ação, aqueles que preferiram ser mortos a dar falso testemunho são homicidas, e seu homicídio é de tipo mais grave, porque foi cometido contra si. Desse modo, porque não dizer que estes se mataram, uma vez que escolheram ser mortos a coagidos? Ou então, se se considera mais grave matar outra pessoa do que a si mesmo, o que dizer se ao mártir se propusesse esta condição, se não quiser dar falso testemunho de Cristo e sacrificar aos demônios, que ante seus olhos, não qualquer pessoa, mas seu pai fosse morto, rogando ao filho que não permitisse que isso fosse feito em razão de sua perseverança. Porventura não é claramente manifesto que o filho permanece o mais fiel possível em sua resolução, e que ele não será um parricida, mas que os únicos homicidas serão aqueles que matarem seu pai? Portanto, quando escolhe que seu pai, um sacrílego cuja alma se perderia, seja antes morto por outros a violar sua fé com um falso testemunho, o filho não é partícipe de tamanho crime. Essa decisão não faz dele partícipe de tamanha infâmia se ele mesmo não desejou fazer mal nenhum, porque, seja o que for que os outros façam a partir de sua decisão, não é ele próprio que o faz. Pois, o que dizem esses perseguidores se não: Faz a maldade para que não a façamos? Se fora verdade que ao fazermos o mal eles não o fariam, nem sequer assim deveríamos dar-lhes nossa aprovação. Mas como costumam fazer essas coisas, embora não o declarem, por que motivo eles seriam infames e perversos juntamente conosco e não por conta própria? De fato, não se deve dizer que haja consentimento, porque não aprovamos o que fazem, e optamos sempre pelo bem e com todas as forças proibimos que pratiquem o mal. Não só não cometemos o mal com eles, mas também os condenamos com toda execração possível.

Os pecados dos outros não devem ser imputados àquele que pode impedi-los com um pecado mais leve. Não é cúmplice dos pecadores aquele que não deseja pecar para coibi-los. Cada um deve antes evitar seus próprios pecados mais leves do que os mais pesados dos outros

9.14 Alguém perguntaria: Como ele não é cúmplice de um pecado quando outras pessoas não pecariam se ele tivesse pecado? Se pensarmos desse modo, arrombamos a porta com os arrombadores, porque não a arrombariam se não a tivéssemos trancado. E matamos com os ladrões, porque, se soubéssemos que matariam, nós os teríamos matado por prevenção e, por conseguinte, não matariam outras pessoas. Ou então, se alguém nos confessa que cometerá um parricídio, se não pudermos convencê-lo ou coibi-lo de outro modo, cometemos parricídio juntamente com o parricida, caso não o matemos antes que mate seu pai. Em todas essas situações, pode-se dizer precisamente a mesma coisa: fomos cúmplices porque as outras pessoas não pecariam se nós tivéssemos pecado. Não desejo cometer nenhuma das duas maldades, mas só tenho em meu poder que uma delas não seja cometida. Todavia, não devo impedir com minha má ação a outra maldade alheia que não pude fazer desaparecer com meu conselho. Pois não aprova o pecador aquele que não peca em benefício de outro. As duas maldades não são agradáveis àquele que não admitiria nenhuma delas; porque, naquilo que a ele se refere e está ao seu alcance, não as realiza; mas quanto àquilo que diz respeito a outra pessoa, ele o condena apenas com a vontade. Por isso, aos que propusessem aquela condição "Se não oferecerdes incenso, sofrereis esta violação", se ele respondesse: "Eu não escolho nenhuma das duas coisas, detesto ambas, não vos dou nenhum consentimento", com palavras como essas, que certamente são verdadeiras, não lhes dá nenhum consentimento, não lhes concede nenhuma aprovação. Seja qual for o castigo que lhe inflijam, fica ele com o recibo da injúria, eles com o delito. Portanto, alguém perguntaria: Ele deve antes sofrer uma violação sexual a oferecer incenso? Se a pergunta é sobre aquilo que se deveria fazer, respondo que não se deveria fazer nenhuma das duas coisas. Porque, se eu dissesse que se deveria fazer uma delas, aprovaria uma e condenaria ambas. Entretanto, se alguém perguntasse qual das duas coisas deve-se evitar preferivelmente, já que não se pode evitar as duas, responderei que é melhor que se evite seu próprio pecado ao de outra pessoa e que, além disso, é preferível que se evite um pecado leve próprio a um pecado alheio grave.

Salvo pesquisa mais detalhada, concordemos provisoriamente que uma violência sexual é crime mais grave que oferecer incenso; porém, enquanto oferecer incenso é ação própria, a violência sexual é alheia, mesmo que tenha sido admitida por quem a sofre. O pecado é de quem o pratica. Pois, embora o homicídio seja mais grave que o furto, pior é furtar que sofrer homicídio. Desse modo, se fosse proposto a alguém que praticasse um furto ou então, se não quisesse fazê-lo, que fosse morto, como não poderia evitar as duas coisas, devendo evitar, de preferência, seu próprio pecado ao alheio, nem por isso o pecado alheio se tornaria seu, seja porque foi cometido contra ele seja porque poderia evitá-lo com um pecado próprio.

Acaso não se deve mentir para evitar a impureza do corpo?

9.15 O nó dessa questão se reduz a que se pergunte se existe algum pecado de outra pessoa, embora tenha sido cometido contra ti, que possa ser imputado a ti caso pudesses evitá-lo com um pecado leve da tua parte e se porventura a impureza do corpo não seria uma exceção. Ninguém declara que alguém se torna impuro por ser assassinado, encarcerado, acorrentado, açoitado e afligido com torturas e tormentos, por ter seus bens confiscados e ser colocado em um estado de prejuízo gravíssimo – a ponto de chegar à miséria extrema – ou por ser espoliado de honras e receber afrontas e injúrias. Qualquer desses sofrimentos, sofridos injustamente, ninguém é tão demente a ponto de dizer que alguém se tornaria impuro por causa deles.

Mas e se alguém é coberto de excrementos, derramam ou introduzem sujeira em sua boca, ou o fazem de prostituta; isso tudo horrorizaria a sensibilidade de quase todos, e o chamariam de imundo ou desonrado. Portanto, deve-se concluir que ninguém deve pecar para evitar quaisquer pecados alheios – salvo os que fazem imundo aquele em quem se cometem, seja em benefício de si mesmo seja para favorecer outros –, mas antes deve submeter-se e sofrer com coragem. E, se não se deve evitar os pecados alheios com nenhum pecado próprio, isso inclui a mentira. Todavia, devemos evitar os pecados que se cometem contra o ser humano e o fazem imundo, evitando-os até mesmo com outros "pecados", que, nesse caso, não devem ser chamados de pecados, porque são feitos precisamente para que evitemos a impureza. De fato, qualquer coisa que se faça, que seria reprovável a não ser que fosse feita, não é pecado. Daí se conclui que também não deve ser chamado de impureza aquilo que não temos capacidade de evitar. Na verdade, existe, portanto, nesse caso, um modo de agir retamente, que é sofrer pacientemente o que quer que não possa ser evitado. Ninguém que age retamente pode se tornar imundo por contato corporal. Perante Deus, é impuro todo aquele que é injusto. Portanto, puro é todo aquele que é justo. Mesmo que não o seja da perspectiva humana, é, todavia, perante Deus, que julga sem erro. Por conseguinte, não se torna impuro por contágio, nem mesmo quando sofre essas coisas tendo a possibilidade de evitá-las, mas pelo pecado que não quis evitar quando pôde. Qualquer coisa que se faça para evitar coisas impuras não é pecado; por isso, qualquer um que mentiu para evitá-las, não peca.

As mentiras que prejudicam outras pessoas não devem ser admitidas para evitar a impureza do corpo

9.16 Porventura não existem mentiras que podem constituir exceções, e que seja preferível sofrer aquela impureza que cometer essas mentiras? Se assim é, nem tudo que se faz para evitar aquelas impurezas deixa de ser pecado, pois há mentiras mais graves de admitir do que sofrer aquelas impurezas. Se alguém fosse procurado para cometer um estupro e pudesse se furtar disso com uma mentira, quem ousaria dizer que não devesse mentir nesse caso? Porém, e se com essa mentira pudesse se evadir manchando falsamente a reputação de outra pessoa com a impureza que exigiam que ele cometesse? Seria como se, dando o nome de um homem puro e alheio a coisas vergonhosas, dissesse a quem lhe exige isto: Vai até aquele homem e ele te arranjará alguém que possa ser usado por ti com maior prazer. Desse modo consegue afastar-se de quem fazia a exigência. Não sei se a reputação de uma pessoa deve ser violada para que o corpo de outra pessoa não seja violado pela luxúria alheia. E jamais se deve mentir uma mentira que fira outra pessoa, ainda que esta pessoa seja ferida de modo mais leve que se não tivesses mentido. Porque, sem consentimento, nem mesmo o pão de alguém mais saudável deve ser retirado para alimentar outro mais doente; um inocente, contra sua vontade, não deve ser ferido com varas para que outro inocente não seja morto.

É óbvio que essas coisas podem ser feitas se as pessoas quiserem, já que não se ofendem quando as desejam.

10.16 Pode ser manchada a reputação de alguém que deseja ser conhecido por um falso crime de estupro para afastar o estupro do corpo de outra pessoa? Essa é uma grande questão. E não sei se é fácil determinar que seja mais justo deixar ser manchada a reputação daquele que assim o consente, com um falso crime de estupro, ou com o próprio estupro do corpo contra a vontade.

A mentira nunca é permitida no que diz respeito à doutrina religiosa

10.17 No entanto, e se é proposto àquele que deveria queimar incenso aos ídolos ou ser tratado como uma prostituta, que ele, caso queira evitar tudo isso, viole o nome de Cristo com uma mentira? Seria um louco se o fizesse. Digo mais, seria insano se, para evitar a luxúria alheia, não fosse feito contra ele aquilo que, com nenhuma lascívia de sua parte, suportasse para não falsificar o Evangelho de Cristo com louvores vãos; porque, do contrário, ele evitaria mais a corrupção do outro em seu corpo do que a corrupção da doutrina da santificação das almas e dos corpos. Eis porque todas as mentiras devem ser completamente removidas da doutrina religiosa e daquilo que é enunciado a respeito dela quando é ensinada ou aprendida. Na verdade, não se pense que seja possível encontrar qualquer causa por que se deva mentir nesses assuntos. Pois não se deve mentir sobre a doutrina nem mesmo para facilitar sua adesão por alguém. Se a autoridade da verdade for rompida ou mesmo levemente rebaixada, todas as outras coisas permanecerão duvidosas. Essas coisas, a não ser que sejam cridas como verdadeiras, não podem ser mantidas como certas.

Ocultar, por um tempo, o que parece dever ser ocultado é lícito tanto ao que expõe ou disputa e prega sobre as coisas eternas, quanto ao que discute ou anuncia as coisas temporais, para a edificação das coisas relacionadas à santidade e à devoção. Entretanto, nunca é lícito mentir, nem é lícito, por conseguinte, ocultar alguma coisa mentindo.

11.18 Tendo esse princípio (que nunca se deve mentir) firmemente estabelecido, é possível pesquisar os outros tipos de mentira com mais segurança. Segue-se desse princípio que devemos remover toda a mentira que cause dano injustamente a alguém. Porque ninguém deve receber uma injúria, por mais leve, para que seja evitada uma injúria mais grave dirigida a outra pessoa. Também não devem ser admitidas mentiras que, embora não prejudiquem ninguém, prejudicam àqueles que mentem sem motivo. De fato, estes últimos é que são os mentirosos propriamente ditos.

Há diferença entre o mentiroso e o mendaz. Porque existe aquele que mente até sem querer, mas o mendaz ama mentir: regozija-se interiormente mentindo. Junto a estes devemos classificar também aqueles que desejam agradar com mentiras para não magoar ou afrontar: agem assim para ser agradáveis em seus discursos; já tratamos anteriormente dessa classe de mentiras. Estes últimos diferem da classe dos mendazes, aos quais é prazeroso mentir porque se alegram na própria mentira. Pois é prazeroso para eles parecer bem com um discurso agradável, embora preferissem agradar com enunciados verdadeiros. Quando não encontram facilmente palavras verdadeiras que agradem seus ouvintes, optam por mentir a se calar. Todavia, é difícil que estes últimos sempre mantenham um discurso totalmente falso, mas normalmente misturam coisas falsas a verdadeiras quando a atração de suas palavras lhes abandona. Essas duas classes de mentirosos não prejudicam em nada os que creem neles, porque não os induzem a nenhum erro a respeito da doutrina da religião e da verdade, nem em qualquer coisa de proveito ou serventia. É suficiente para quem crê, que julgue possível que aconteça aquilo que lhe é dito, e que tenha fé na pessoa que lhe diz isso, a qual não deve ter motivos para temer que esteja mentindo. Em que eu seria prejudicado se acreditasse que o pai ou o avô de alguém foi um bom homem ou não? Se ele guerreou com os persas quando, na verdade, nunca saiu de Roma? Entretanto, esses dois tipos de mentirosos prejudicam muito a si mesmos: os primeiros por abandonarem a verdade porque a mentira lhes dá prazer, os segundos por preferirem agradar a dizer a verdade.

Mentiras que não prejudicam ninguém e podem ser úteis quando aceitas

12.19 Tendo condenado sem nenhuma hesitação os tipos de mentira tratados acima, vejamos agora um tipo de mentira que, de certo modo, eleva-nos gradualmente a coisas melhores. Esse tipo de mentira é atribuído pelas pessoas comuns à gente boa e benévola, quando aquele que mente não prejudica, mas, de fato, é útil a alguém. Toda a discussão sobre esse tipo de mentira concentra-se em determinar se aquele que assim atenta contra a verdade, para ser útil a outra pessoa, não prejudica a si mesmo. A consequência desse modo de pensar é que tudo que não prejudica ninguém e, por meio da mentira, traz benefício para si deve ser permitido. Entretanto, essas coisas estão interconectadas e se concedemos nelas, necessariamente trarão consigo outras que criam muita confusão.

Por exemplo, qual o prejuízo de subtrair uma medida de trigo de um homem que tivesse uma quantia enorme e supérflua de grãos e para quem isso não faria a menor diferença? Imaginemos que essa medida de trigo fosse necessária para o sustento do ladrão. Consequentemente, uma pessoa poderia roubar sem ser repreendida ou dar falso testemunho, sem cometer pecado algum. Mas o que poderia ser mais perverso do que isso? Se acaso visses alguém roubando aquela medida de trigo e, interrogado, mentisses honestamente em prol do pobre, mas fosses culpado por roubares para remediar tua própria pobreza? Não seria como se devesses amar o próximo mais que a ti mesmo? Portanto, ambas essas coisas são repulsivas e devem ser evitadas.

Se existem mentiras honestas que não são benéficas nem prejudicam quem quer que seja

12.20 Entretanto, talvez alguém pense que sejam possíveis algumas mentiras honestas que não só não prejudicam ninguém, mas também beneficiam alguns, excetuando aquelas por meio das quais crimes são ocultados ou defendidos: como a mentira supracitada, que embora não prejudique ninguém e favoreça um pobre, todavia, oculta o furto. Se, porém, uma mentira não prejudicasse ninguém e favorecesse alguém, de tal modo que nenhum pecado fosse ocultado ou defendido, não seria desonesta. Por exemplo, se alguém escondesse seu dinheiro na tua presença, e, em seguida, interrogado, viesses a mentir, não prejudicarias a ninguém e beneficiarias aquele para quem era necessário esconder o dinheiro – não cometerias pecado algum. Porque ninguém peca ao esconder algo que lhe pertence, se tem medo de perdê-lo. Mas se não pecamos ao mentir, uma vez que não escondemos o pecado de ninguém, nem prejudicamos, mas beneficiamos alguém, o que diremos do pecado em si mesmo? Onde está escrito *Não furtarás* está também *Não dirás falso testemunho*[23]. Portanto, se ambos são expressamente proibidos, porque o falso testemunho não seria culpável quando encobre um furto ou outro pecado? Pois, se não existe defesa para nenhum pecado por si mesmo, como o próprio furto, por si mesmo, não seria culpável tanto quanto os restantes pecados? Se não é permitido ocultar um pecado mentindo, seria lícito cometê-lo?

Dar falso testemunho sempre equivale a mentir?

12.21 Se isso é absurdo, o que diremos? Porventura só existe falso testemunho quando acusamos outra pessoa falsamente de um crime, escondemos o crime de alguém ou fazemos alguma espécie de pressão judicial contra quem quer que seja? De fato, parece que uma testemunha é necessária ao juiz para que tenha conhecimento da causa. Porém, se a Escritura reconhecesse apenas esse tipo de testemunha, o Apóstolo não diria: *Seríamos tidos como falsas testemunhas de Deus, se déssemos um falso testemunho contra Deus, ao dizer que ressuscitou a Cristo, ao qual não ressuscitou*[24]. Isso demonstra que um falso testemunho é uma mentira, até mesmo quando é um falso elogio.

O falso testemunho e a mentira

13.21 Acaso dá falso testemunho aquele que mente, seja ao inventar um pecado de outrem, seja ao esconder ou prejudicá-lo de algum modo? Pois, se uma mentira contrária à vida temporal de qualquer um é detestável, não seria pior aquela que é contrária à vida eterna? É desse tipo toda mentira que atenta contra a doutrina da religião. Por isso, o Apóstolo chama de falso testemunho que alguém minta sobre Cristo, mesmo quando isso parece pertencer ao seu louvor. Não seria essa uma mentira repreensível e um falso testemunho, mesmo que o pecado de outrem não fosse inventado ou escondido, mesmo sem ser passível de inquérito judicial, seja em prejuízo seja em benefício de alguém?

É possível mentir para não entregar um homicida ou um inocente que está sendo procurado para ser justiçado?

13.22 O que diríamos se um homicida pedisse refúgio a um cristão ou este visse para onde aquele fugiu, e fosse interrogado por alguém que buscasse o homem para levá-lo ao suplício, a saber, pelo executor? Deve-se mentir nesse caso? Como não encobre um pecado mentindo, quando aquele, por quem mente, cometeu um pecado criminoso? Acaso pode mentir porque não foi interrogado a respeito do pecado, mas sobre o lugar do esconderijo? Mentir para esconder o pecado de alguém é mau: Porventura não seria um mal mentir para esconder um pecador? Assim é, dirá alguém, pois não peca quem evita o suplício, mas quem pratica algo digno de suplício. Porque faz parte da disciplina cristã não desesperar da correção nem fechar as portas da penitência para ninguém. E se fosses levado ante um juiz e questionado acerca do esconderijo do assassino? Dirias "Não está ali", onde sabes que está. Ou dirás "Não soube e não vi" ao invés daquilo que sabes e vistes? Darás, pois, falso testemunho e matarás tua alma para que um homicida não seja morto?

E se porventura até o momento que chegasses à presença do juiz, mentisses, porém, quando inquirido pelo juiz em pessoa, dissesses a verdade para não dar falso testemunho? Matarás aquele homem por tua traição! De fato, o traidor é detestado pela divina Escritura. Acaso é traidor não quem diz a verdade ante um juiz que o interroga, mas sim quem dá voluntariamente informações que levam alguém à destruição?

E se fores interrogado da parte de um juiz acerca do local onde se esconde um homem inocente e justo, mas aquele que te interroga é o executor da pena, não o que há dado a ordem? Não seria falso testemunho mentir a favor de um inocente, porque não é o juiz, mas o executor que te interroga? E se o próprio autor da lei te interrogasse, ou um juiz iníquo que buscasse o inocente para condená-lo à morte?

Porventura seria um traidor aquele que delatasse espontaneamente um homicida escondido a um juiz justo? Ou não seria traidor aquele que indicasse o esconderijo de um inocente, que se confiara a ele, a um juiz injusto que estivesse perseguindo o inocente para matá-lo? Acaso ficarias indeciso entre o crime de falso testemunho e o de traição? Ou terás certeza que te calando ou declarando que não dirás nada evitarás as duas coisas? Por que não fazes isso antes de vir ao juiz, para que evites também a mentira? Pois, ao evitar a mentira, fugirás de todo falso testemunho, porque, ou todo falso testemunho é mentira ou nenhum. Todavia, se evitares o falso testemunho como pensas ser o caso, não fugirás de toda a mentira. Tua fortaleza e dignidade não seriam muito maiores se dissesses: "Não trairei e não mentirei"?

O Bispo Firmo de Tagaste não quis mentir nem trair e foi capaz de suportar tormentos

13.23 Foi o que fez outrora um bispo de Tagaste, de nome Firmo e de vontade ainda mais firme. Pois, quando foi inquirido por guardas, a mando do imperador, a respeito de um homem que solicitara refúgio junto a si, e que ele ocultava com a máxima diligência, respondeu aos guardas que não podia nem mentir nem entregar o homem; por esse motivo, sofreu muitas torturas (já que, naquela época, os imperadores ainda não eram cristãos), mas persistiu em sua decisão. Depois, levado à presença do imperador, Firmo pareceu-lhe tão admirável (em sua firmeza), que, sem nenhuma dificuldade, o bispo de Tagaste obteve o perdão para o homem a quem dera refúgio.

O que poderia ser mais corajoso e forte do que isso? Entretanto, alguém mais tímido poderia dizer: Estou preparado para sofrer qualquer tortura ou até mesmo entregar-me à morte para não pecar; porém, mentir não é pecado quando não prejudicas ninguém nem dás falso testemunho e beneficias outrem, mas é um pecado tolo e grave suportar tormentos em vão e arrojar inutilmente uma vida e uma saúde ainda úteis à crueldade dos torturadores. Eu perguntaria a este alguém por que teme as Escrituras que dizem *Não darás falso testemunho*[25], mas não teme o que se diz de Deus: *Destróis todos os que mentem?*[26] A mesma pessoa diria que não está escrito *toda mentira*, mas que entendeu como: *Destrói todos os que dão falso testemunho*, embora *todo falso testemunho* não esteja escrito ali; e também afirmaria que isso foi colocado nesses termos referindo-se apenas a coisas que são más em todos os sentidos. E quanto ao que ali está escrito: *Não matarás?*[27] Se isso é mal em todos os sentidos, como se escusariam os justos que cometem esse crime, pois mataram a muitos de acordo com a lei? Aquela pessoa responderia que não se mata quando se é ministro de uma ordem justa. Aceito a timidez de pessoas como essa, mas creio que é mais louvável aquele homem que não quis nem mentir nem agir como traidor: julgo que entendeu melhor o que está escrito e cumpriu com mais coragem esse entendimento.

O que responderás quando, ciente do paradeiro, fores interrogado sobre alguém que está sendo procurado para ser morto

13.24 Entretanto, às vezes se chega em assunto como esse a uma situação em que não somos interrogados sobre onde se encontra aquele que é procurado, nem nos obrigam a entregá-lo, já que está escondido de tal forma que não pode ser encontrado facilmente, a não ser que seu esconderijo seja revelado. Mas nos perguntam apenas se ele está neste lugar ou não. Se sabemos que está ali e ficamos calados, o entregamos. E mesmo que declarássemos que não diremos se ele está ou não ali, o mero fato de dizermos isso deixa claro, ao que pergunta, que o fugitivo se encontra ali, porque se não se encontrasse, a pessoa que não deseja mentir e nem tampouco entregar o homem diria simplesmente que ele não se encontra ali. Assim, tanto por nosso silêncio quanto por nossas palavras o homem é entregue para aquele que tem o poder de entrar no esconderijo, procurar e encontrar o fugitivo, cuja descoberta poderia ser evitada por uma mentira nossa.

Por isso, se não sabes onde ele se encontra, não há nenhum motivo para ocultar a verdade: deves confessar que não sabes. Porém, se sabes onde ele está, seja ali onde está sendo procurado, seja em outro lugar, quando fores interrogado, não deves dizer que não está ali, mas sim: "Sei onde está, mas nunca mostrarei". Pois, se não responderes nada a respeito de um lugar específico e, ao mesmo tempo, declarares que não queres entregar ninguém, é como se indicasses esse lugar específico com o dedo, dando a suspeita como certa. Mas se disseres que sabes onde está o fugitivo, mas que não o dirás, pode ser que afastes a atenção do investigador, e que ele te sobrecarregue de perguntas para que reveles o esconderijo. O que quer que sofras por uma fidelidade e humanidade como essas, não só não te é culpável, mas também serás julgado digno de louvor; excluem-se obviamente situações em que sofres não por tua fortaleza, mas por motivações indecentes e desonestas. Essa é a última classe de mentiras, sobre a qual trataremos com mais cuidado.

Oito tipos de mentira

14.25 O pecado a ser mais evitado e do qual se deve fugir mais longe é aquele que se faz contra a doutrina da religião; ninguém dever ser conduzido a esse pecado, sob nenhuma condição. O segundo é aquele em que alguém é prejudicado injustamente: ninguém tira vantagem disso e alguém é prejudicado. O terceiro é aquele em que alguém é beneficiado, de tal forma que outra pessoa é prejudicada, embora não se trate de imundícia corporal. O quarto é aquele em que se mente pelo prazer de enganar, que é a mentira pura e simples. O quinto tipo é o da mentira que se diz para agradar, com uma conversa aprazível.

Rejeitados e afastados inteiramente esses cinco tipos de mentira, segue-se um sexto, que não prejudica ninguém e beneficia alguém: um ladrão quer tirar injustamente o dinheiro de uma pessoa, sabemos onde está o valor, mas mentimos e dizemos que não o sabemos, não importando quem seja o interrogante. O sétimo tipo é aquele que não prejudica ninguém e beneficia alguém, exceto se somos interrogados por um juiz: mente-se porque não se quer atraiçoar uma pessoa que está sendo procurada para ser morta, seja ela ré, seja ela justa ou inocente, porque a disciplina cristã ensina que não se desespere da correção, nem se feche a porta da penitência para ninguém. Sobre estes últimos dois tipos, que costumam gerar grande controvérsia, já tratamos suficientemente, e mostramos a solução que preferimos: que homens e mulheres fortes, fiéis e sinceros, suportando os incômodos que possam tolerar com fortaleza e honestidade, evitem também esses dois tipos de mentira. O oitavo tipo de mentira é aquele que não prejudica ninguém e pode ser benéfico, pois protege da imundícia corporal – considerando-se como impurezas somente as que foram mencionadas anteriormente, porque os judeus viam como impuro até o comer sem antes lavar as mãos[28], mas se alguém chama isso de impureza, não se trata do tipo que se deve mentir para evitar.

Todavia, e se uma mentira prejudicasse alguém, embora protegesse um homem daquela impureza que é abominável para todos os homens? Se porventura esse também é um tipo de mentira que não produz uma ofensa que se enquadra naquele gênero de impureza, é outra questão. Porque, nesse caso, já não se questiona sobre a mentira, mas se devemos causar dano a alguém – não exclusivamente por meio de mentiras –, para que, desse modo, outra pessoa seja afastada daquela impureza. Em minha opinião, não se deve fazer isso de maneira nenhuma, mesmo que se proponham prejuízos levíssimos, como aquele que lembrei acerca da medida de trigo, e por mais que nos perturbem indagando-nos se porventura não deveríamos causar este ou aquele dano a alguém, de tal modo que pudéssemos defender ou proteger outra pessoa para que não fosse violentada. Mas, como eu disse acima, é outra a questão.

Porventura se deve mentir quando uma condição inevitável é proposta

15.25 Agora retomemos aquela questão que tínhamos começado, a saber, se devemos mentir quando a seguinte condição inevitável nos é proposta: ou mentimos ou somos violentados, ou sofremos alguma outra iniquidade execrável, mas mentindo não faríamos mal a ninguém.

Nesse caso, devem ser levadas em consideração as santas autoridades, que proíbem a mentira, e os ensinamentos que se derivam das ações dos santos

15.26 Essa questão só terá alguma chance de consideração, caso primeiramente discutamos as Sagradas Escrituras com diligência, as quais proíbem a mentira. Caso elas não façam nenhuma referência a esse assunto, em vão buscamos aquilo que saímos a procurar. Pois devemos observar a Lei de Deus e sua vontade em sua totalidade, e de maneira tranquila também em coisas que, por sua observação, viermos a sofrer. Se, no entanto, houvesse maneira de abrir uma brecha para alguém, não deveríamos rejeitar a mentira nesse caso. Porque as Sagradas Escrituras não possuem somente os preceitos de Deus, mas também a vida e o procedimento dos justos. Assim, caso esteja oculto nas Escrituras o modo como devemos entender um ensinamento, este é entendido a partir das ações dos justos. Excetuam-se aquelas ações que possam referir-se à significação alegórica, como são quase todas as descritas no Antigo Testamento, embora ninguém duvide dos fatos: quem ousaria dizer que ali há alguma coisa que não pertence à prefiguração simbólica?

Obviamente, em sentido simbólico, é que o Apóstolo afirma que os filhos de Abraão representam os dois Testamentos[29], dos quais se pode declarar com muita facilidade que nasceram e viveram de acordo com a ordem natural da vida e propagação dos povos (não surgiram de maneira fantástica ou prodigiosa, para que assim lhes fosse atribuída uma significação simbólica). E Paulo declara que tanto o admirável benefício que Deus prestou ao povo de Israel ao livrá-los da servidão com que era oprimido no Egito quanto sua punição com a qual os castigou quando pecaram no caminho têm sentido figurado[30]. Que ações encontramos aí com base nas quais possamos abolir aquela regra de interpretação, presumindo que não devam referir-se a figura alguma?

Excetuando-se, portanto, essas ações, sirvam-nos de exemplo, para o modo de interpretar os preceitos contidos nas Escrituras, os atos que foram praticados pelos santos e são descritos no Novo Testamento, cuja imitação é recomendada com muita clareza.

O preceito que ordena oferecer a outra face

15.27 Assim, quando lemos no Evangelho: *Recebeste uma bofetada, oferece a outra face*[31], concluímos que não há mais poderoso e excelente exemplo de paciência do que o do próprio Senhor. Mas, quando Ele recebeu uma bofetada, não disse: Eis aqui a outra face; mas sim: *Se disse algo de errado, prova-o, mas, se disse bem, por que me bates?*[32]

Em que Ele demonstra que a preparação da outra face é feita no coração. O Apóstolo Paulo certamente sabia disso, pois, quando também ele próprio recebeu uma bofetada perante o Sumo Sacerdote, não disse: Bate na outra face, mas: *O Senhor te golpeará, parede branca; tu te assentas para julgar-me segundo a lei e contra a lei me julgas?*[33]

Paulo entendeu profundamente que o sacerdócio dos judeus tinha chegado a um ponto que, embora brilhasse externamente no nome, internamente era sórdido, cheio de impuras concupiscências. Quando disse essas palavras, Paulo via em seu espírito que esse sacerdócio, por castigo do Senhor, estava chegando ao fim. Entretanto, ele tinha o coração preparado não só para receber outras bofetadas, mas também quaisquer outras formas de tortura que devesse suportar pela verdade e por amor daqueles que o fariam suportá-las.

O preceito de não jurar por motivo algum

15.28 Está também escrito: *Eu, porém, vos digo: não jureis por motivo algum*. No entanto, o Apóstolo jurou em suas epístolas[34] e assim mostrou como se deve entender o que foi dito: *Digo a vós, não jureis por motivo algum*, a saber: para que, não fazendo isso, não sejamos levados a jurar com facilidade, depois adquiramos o hábito e, por fim, do hábito, degeneremos no perjúrio.

Por esse motivo, não se encontra nas Escrituras que Paulo tenha jurado a não ser por escrito, pois considerou que isso seria mais cauteloso do que se precipitar com a língua; desse modo, demonstrou como se deve entender "mau" na passagem que diz: *O que passa disso é mau*[35]. Todavia não se tratava de fraqueza do Apóstolo, mas daqueles que o forçavam a jurar desse modo. Se Paulo alguma vez jurou por fala e não por escrito, desconheço que as Escrituras tenham dito algo a respeito.

No entanto, o Senhor disse *não jureis por motivo algum*; por conseguinte, não concedeu que o juramento fosse lícito aos que escrevem. Entretanto, é deplorável afirmar que Paulo, que escreveu e publicou cartas para a salvação e vida espiritual dos povos, tenha violado um preceito do Senhor. Assim, deve-se entender que este *motivo algum* foi colocado para que, na medida do possível, não aspiremos, não amemos, não pretendamos jurar com prazer, como se fosse uma coisa boa.

O preceito de não pensar no amanhã

15.29 O mesmo é válido para esta palavra: *E assim, não penseis no que comereis, bebereis e vestireis*[36]. Porque sabemos que o próprio Senhor tinha uma bolsa onde era colocado o dinheiro a ser usado quando fosse necessário[37]. E os próprios apóstolos ocupavam-se de muitas coisas referentes às necessidades dos irmãos, não só as do amanhã imediato, mas também as de um tempo mais alongado de despesas com a fome, como lemos nos Atos dos Apóstolos[38]. Assim, fica bem claro que esse preceito deve ser entendido de tal forma que não façamos nosso trabalho por amor aos bens materiais ou temor da miséria como se o fizéssemos por necessidade.

O preceito segundo o qual os apóstolos deveriam nada levar em suas viagens

15.30 Igualmente é dito que os apóstolos viviam do Evangelho sem levar nada em suas viagens. E também sobre isso, em outra passagem, o próprio Senhor explicou o que queria dizer, quando acrescentou: *Pois digno é o operário do seu trabalho*[39]. Portanto, claramente demonstrou que era permitido levar alguma coisa na viagem, mas não obrigatório, para que, se acaso alguém o fizesse, não julgasse que fazia algo ilícito ao receber algo, para sua sobrevivência, daqueles a quem estivesse pregando a palavra de Deus. Entretanto, isso poderia, com maior louvor, não ser feito, como fica bem demonstrado no caso do Apóstolo Paulo que disse: *Aquele que é catequizado tenha comunhão de todos os seus bens com aquele que o catequiza*[40], e, em muitas passagens bíblicas, declarou que essa prática salutar era feita por muitos a quem fora pregada a Palavra de Deus, mas disse que: *todavia, não faço uso desse poder*[41]. Portanto, quando o Senhor diz que os apóstolos não devem levar consigo coisa alguma não está ordenando uma restrição, mas abrindo uma possibilidade. Por conseguinte, quando não conseguimos deduzir a maior parte das coisas que estão escritas, as interpretamos de acordo com as atitudes dos santos, porque, se não fossem evocadas por seu exemplo, a interpretação tomaria outro rumo.

A boca dúplice de voz e coração: sobre essa boca seja dito: *A boca que mente* etc.

16.31 De igual modo, na passagem em que está escrito: *Mas a boca que mente mata a alma*, pergunta-se a que boca o texto se refere. Pois, muitas vezes quando a Escritura fala de boca, refere-se ao foro íntimo dos julgamentos dos nossos corações, onde aceitamos com alegria e discernimos aquilo que também por meio da voz, quando falamos, anunciamos; de modo que mente com o coração quem se alegra com a mentira. É possível que alguém não minta de coração quando pela voz profere algo diferente do que tem na alma; assim, evita um mal maior por meio de outro, embora se entristeça de ambos. Os que afirmam isso dizem que é, de fato, assim que se deve entender aquela passagem da escritura: *Aquele que diz a verdade em seu coração*[42], porque, a verdade sempre deve ser dita de coração, mas nem sempre por meio da boca física, caso haja motivo de evitar um mal maior que exija que algo diferente daquilo que está na alma seja proferido pela voz.

De fato, existe uma boca no coração, porque podemos entender que não é absurdo que se entenda que há uma boca onde existe conversação. E não seria correto dizer: *Aquele que diz em seu coração* a não ser que se entenda que há uma boca no coração. Assim também, onde está escrito: *Mas a boca que mente mata a alma*, levando-se em conta o contexto, provavelmente não se pode entender de outra forma. De fato, uma resposta é obscura quando se esconde das pessoas, porque a boca do coração não pode ser ouvida a não ser que ressoe na boca física.

Todavia, a Escritura declara, nessa mesma passagem, que aquela boca é ouvida pelo Espírito do Senhor, que está presente em toda parte; e o mesmo texto menciona lábios, voz e língua, e nada disso é entendido a não ser que se refira ao coração, porque a Escritura declara que este não se oculta do Senhor; contudo, o som que pertence aos nossos ouvidos (do corpo) não é oculto para as pessoas. De fato, está escrito: *O Espírito da sabedoria é humano, não deixará sem punição os lábios do maldizente: porque o Senhor é testemunha de sua intimidade, perscrutador de seu coração, ouvinte verdadeiro de suas palavras. De fato, o Senhor está em toda parte e tem conhecimento de todas as palavras. Por isso, aquele que profere iniquidades não poderá esconder-se, nem será poupado do juízo que castiga. As cogitações do ímpio serão interrogadas, seu discurso será ouvido pelo Senhor para que suas iniquidades sejam castigadas. Pois o ouvido zeloso tudo ouve, e o tumulto das murmurações dele não se esconde. Guardai-vos, pois, da murmuração, que não traz benefício algum, poupai-vos da língua detratora! Porque a resposta obscura não cairá no vazio, mas a boca que mente mata a alma*[43]. Portanto, essa passagem parece ameaçar aqueles que pensam que é obscuro e secreto o que deliberam no coração, mostrando que essas deliberações são tão claras aos ouvidos de Deus a ponto de chamá-las de tumulto.

O Evangelho também menciona uma boca do coração

16.32 Encontramos também, de modo manifesto, uma boca do coração no Evangelho, de tal maneira que o Senhor fala, na mesma passagem, de uma boca do coração e outra do corpo: *Ainda estais sem entendimento? Não entendestes que aquilo que entra pela boca vai para o ventre, e é lançado na latrina, mas o que procede da boca sai do coração, e é isso que polui o ser humano? Porque é do coração que saem os maus pensamentos, os homicídios, os adultérios, as fornicações, os furtos, os falsos testemunhos, as blasfêmias e são essas as coisas que poluem o ser humano*[44]. Se entendermos aqui uma boca física, como haveremos de entender esta passagem: *mas aquilo que procede da boca sai do coração?* O escarro e o vômito não saem também da boca? Alguém se infectaria ao comer algo imundo ou ao vomitá-lo? Isso é deveras absurdo! Portanto, o que nos resta é entender que o Senhor está falando de uma boca do coração quando diz: *Aquilo que procede da boca sai do coração.* O furto, por exemplo, sempre que possível – e é assim que frequentemente acontece – é perpetrado no silêncio da voz e da boca do corpo. Seria pura demência se essa passagem fosse entendida por nós de modo a pensarmos que alguém seria contaminado pelo pecado do furto se confessasse ou indicasse seu crime, e inocente se se mantivesse calado. Mas se o que o Senhor nos disse nessa passagem se refere à boca do coração, é impossível silenciar completamente a respeito de um pecado cometido, pois este não é cometido, a não ser que proceda daquela boca interior.

Se somente é proibida aquela mentira com a qual se difama alguém

16.33 No entanto, assim como se pergunta de que boca se diz: *A boca que mente, mata a alma,* também se pode perguntar a que espécie de mentira a passagem se refere. Parece que se trata daquela com que se difama alguém. Porque se declara: *Guardai-vos, pois, da murmuração, que não traz benefício algum, e poupai vossa língua da calúnia*. A difamação acontece por malevolência, quando alguém não apenas divulga com a boca e a voz do corpo, algo que inventou contra outra pessoa, mas também silenciosamente deseja que isso seja crido, o que é certamente caluniar com a boca do coração. Isso não pode permanecer obscuro e oculto perante Deus.

O vers. 7 do Sl 5 também deve ser entendido de três modos

16.34 Sobre o que está escrito em outro lugar: *Não queiras mentir todo tipo de mentira*, alguns não querem que isso signifique que não exista alguma espécie de mentira que não possa ser mentida. Outros dizem que essa passagem da Escritura é dirigida contra todo o tipo de mentira de um modo tão abrangente que mesmo que alguém quisesse mentir, embora não estivesse mentindo, a própria vontade já seria condenada, e, portanto, que não se deve interpretar essa passagem como dizendo: "não *mentir* todo tipo de mentira", mas sim: "não *querer mentir* todo tipo de mentira", para que, desse modo, ninguém nem mesmo queira mentir qualquer mentira.

17.34 Todavia, alguém dirá: quando a Escritura diz *não querer mentir todo tipo de mentira* deseja que a mentira seja eliminada e apartada da boca do coração, para que, assim, certas mentiras sejam afastadas da boca do corpo, principalmente aquelas que pertencem à doutrina da religião. Todavia, há outras mentiras que não devem ser afastadas da boca do corpo, caso isso seja necessário para que se evite um mal maior. Porém, devemos nos abster completamente de toda mentira da boca do coração.

Nessa passagem é importante entender a expressão *não querer*, já que a própria vontade é sempre entendida como equivalente à boca do coração e esta não mente quando, para evitar um mal maior, mentimos contrariados. Existe também um terceiro entendimento de "não toda", ou seja, que poderíamos mentir com exceção de algumas mentiras, como quando se diz: *Não creias em todo homem*, entendendo que isso não é dito para que não creiamos em ninguém, mas para que creiamos em alguns, não em todos.

Nessa mesma passagem, o que se segue, *Pois o costume de mentir não produz o bem* soa de tal maneira como se não a mentira, mas a mentira assídua, ou seja, o costume e o amor da mentira parecessem dever ser proibidos[45]. Nesse amor e costume certamente cairá alguém que pense que pode abusar de toda mentira (e assim não evitará nem mesmo as mentiras que ferem a piedade e a religião; e o que poderíamos encontrar de mais criminoso não em toda mentira, mas em todo pecado?) ou esse mesmo alguém acomodará sua vontade a qualquer mentira, inofensiva ou leve que seja, e não mentirá contrariado, para evitar um mal maior, mas por amor e de bom grado. Portanto, essa passagem pode ser entendida de três modos: (i) toda mentira é não somente proibida, mas também não deve ser desejada; (ii) embora não querendo mentir, é possível fazê-lo contra a vontade para evitar um mal maior; (iii) é proibido mentir, com exceção de algumas mentiras que são permitidas. O primeiro modo inclui aqueles que nunca se alegram com a mentira, nos outros dois encontram-se os que pensam que às vezes se deve mentir.

Ora, tendo em vista que a *frequência em mentir não é proveitosa para o bem*, não sei se a primeira dessas interpretações pode ser sustentada, a não ser que talvez nunca mentir e nem querer mentir seja exigido dos perfeitos, mas a frequência em mentir não seja permitida aos iniciantes. Assim, quando se ensina que se nunca, absolutamente, não só não se devesse mentir, mas não se devesse ter vontade de mentir, essa dupla proibição fosse contraditória devido a exemplos – porque existem algumas mentiras que foram aprovadas com grande autoridade –, deve-se responder que são mentiras de iniciantes: pessoas que têm no que diz respeito a suas vidas algum ofício de misericórdia; porém, como toda e qualquer mentira é de tal forma má que é sempre evitada pelas almas perfeitas e espirituais de todos os modos, não se deve permitir que, nas iniciantes, torne-se frequente. Já falamos sobre as parteiras egípcias, que mentindo foram aprovadas por sua inclinação de progredir a coisas melhores; porque é um passo na direção do amor da verdadeira e eterna salvação quando alguém, por misericórdia, mente a favor de outra pessoa, mesmo que seja em prol da salvação da vida mortal[46].

Está escrito: *Destróis todos os que falam a mentira*

17.35 Está também escrito: *Destróis todos os que falam a mentira*. Alguns dizem que, segundo essa passagem, nenhum pecado é excetuado, mas todos são condenados. Outros concordam com essa interpretação, porém, afirmam que se aplica àqueles que falam a mentira de coração, como foi discutido anteriormente. Pois quem odeia a necessidade de mentir e vê nela um castigo desta vida mortal fala a verdade em seu coração.

Outros dizem que, de fato, Deus destrói todos os que falam mentiras, mas não toda mentira, porque existe uma mentira, como declarou o profeta, pela qual ninguém é poupado, a saber: se alguém se recusa a confessar seus pecados, antes argumenta a favor deles e não quer fazer penitência, como se fosse pouco praticar a iniquidade a não ser que, querendo também parecer justo, não se submetesse ao remédio da confissão. A interpretação das seguintes palavras não parece querer dizer outra coisa: *Odeias todos os que praticam a iniquidade*[47]; mas não os destróis, se disserem a verdade penitenciando-se na confissão, para que, praticando a verdade, venham à luz; como diz o Evangelho segundo João: *Aquele que pratica a verdade vem à luz*[48]. Mas *destróis todos aqueles* que não só praticam o que odeias, mas também mentem, simulando uma falsa justiça e não confessando seus pecados.

Como deve ser entendido o preceito que proíbe dar falso testemunho

17.36 Sobre o falso testemunho, que foi colocado nos dez mandamentos da Lei, não se pode defender que o amor da verdade seja conservado no coração e a falsidade seja proferida àquele a quem se dá o testemunho. Quando se diz algo somente a Deus, então a verdade deve ser abraçada somente no coração, mas quando se diz algo às pessoas, a verdade também deve ser proferida pela boca corpórea, porque o ser humano não é conhecedor do coração. Portanto, com relação ao testemunho em si mesmo, não é absurdo que se pergunte diante de quem cada um seja testemunha.

Pois não somos testemunhas diante de qualquer um, mas somente diante daqueles a quem é conveniente e que devem conhecer ou crer na verdade por meio de nós: como o juiz, para que não erre em seu julgamento, ou aquele a quem se ensina a doutrina da religião, para que não erre em sua fé, ou fique em dúvida em razão da própria autoridade daquele que ensina. Porém, quando aquele que nos interroga para colher alguma informação está em busca de algo que não lhe pertence ou que não é conveniente que saiba, procura um traidor, não uma testemunha. Assim, se mentes a ele, te afastarás talvez do falso testemunho, mas não certamente da mentira.

Como se deve interpretar outra passagem da Escritura

18.36 Portanto, tendo estabelecido que nunca é lícito dar falso testemunho, pergunta-se se algumas vezes é permitido mentir. Ou, se toda mentira é um falso testemunho, é necessário examinar se ela admite compensação, como quando se declara que se mente para evitar um pecado maior. Por exemplo, está escrito: *Honra teu pai e tua mãe*[49], que é um preceito que pode ser desconsiderado em prol de outro mais importante. Daí que se proíbe aquele que foi chamado pelo Senhor para anunciar o Reino de Deus que pague a derradeira honra da sepultura a seu pai[50].

O que foi encontrado até o momento a respeito dos dois lados da investigação precedente

18.37 Igualmente está escrito: *O filho que guarda a palavra se afastará da perdição, mas, ao recebê-la, recebe-a para si, e nada de falso procede da sua boca*[51]. Nessa passagem, a expressão *ao recebê-la* só pode ser interpretada como se referindo à Palavra de Deus. Portanto, *O filho que recebe a verdade estará* *longe da perdição* faz referência ao que foi dito anteriormente: *Destróis todos os que falam a mentira*[52]. O que vem a seguir – *mas, ao recebê-la, recebe-a para si* – não indica outra coisa a não ser aquilo que o Apóstolo diz: *Cada um examine sua obra e então terá glória em si mesmo e não em outro?*[53] Por conseguinte, aquele que recebe a palavra, ou seja, a verdade, não para si, mas para agradar as pessoas, não a guarda quando percebe que a mentira lhes é mais agradável. Todavia, nada falso procede da boca de quem recebe a verdade para si, porque, mesmo quando a mentira agrada as pessoas, quem a recebe para si não mente, pois guarda a verdade que agrada a Deus e não as pessoas.

Portanto, não é correto que se diga que Deus destrói todos os que mentem, mas não toda espécie de mentira, uma vez que todas as mentiras são proibidas quando se diz: *E nada de falso procede de sua boca*. Mas há quem declare que isso deve ser interpretado de outra forma, como entendeu o Apóstolo Paulo acerca do que disse o Senhor: *Eu, porém, vos digo: não jureis de modo algum*[54]. Porque aqui todo juramento é suprimido, mas da boca do coração, para que nunca se produza aprovação a partir da nossa vontade, mas sim a partir da necessidade da fraqueza de outra pessoa, que não podemos persuadir do que estamos falando a não ser que, por nosso juramento, acredite em nós; ou, por causa da nossa própria maldade; porque, ainda revestidos com a pele de nossa mortalidade, não temos coragem de mostrar nosso coração, pois, se tivéssemos, o juramento certamente não seria necessário. Entretanto, se a frase completa declara: *O filho que guarda a palavra se afastará da perdição*[55], essa declaração é sobre a própria verdade, pela qual todas as coisas foram feitas[56], que permanece imutável para sempre. E já que o ensinamento da religião esforça-se por levar as pessoas à contemplação da verdade, é possível interpretar *E nada de falso procede de sua boca* como se referindo a nada de falso concernente ao ensinamento da religião. Porque esse tipo de mentira não suporta nenhuma compensação e deve ser evitado acima de tudo e inteiramente. Ora, se *nada de falso* é entendido de modo absurdo como não se referindo a toda mentira, devemos entender a expressão *de sua boca* como relacionada à boca do coração, seguindo a argumentação apresentada anteriormente, defendida por quem pensa que se deve mentir às vezes.

O erro na avaliação do mal nasce da parcialidade e do costume. Os dois lados de nossa vida

18.38 Embora certamente essa discussão se alterne entre aqueles que, citando o testemunho das Escrituras, afirmam que nunca se deve mentir, e aqueles que, contradizendo os primeiros, buscam nas Sagradas Escrituras o lugar da mentira, ninguém, porém, tem condições de dizer que encontrou algum exemplo ou palavra das Escrituras que dê a entender que se deve amar e não odiar qualquer mentira. Algumas vezes, porém, embora odiemos mentir, o fazemos para evitar coisas ainda mais detestáveis. Todavia, nisso as pessoas erram, pois colocam coisas de menos valor acima das preciosas. Porque, quando se autoriza a admissão de algum mal para que outro mais grave não seja admitido, isso não se faz de acordo com a lei da verdade, mas se avalia o mal de acordo com o bel-prazer ou costume de cada um, ou seja, é visto como mais grave aquilo que incomoda mais e não aquilo que, de fato, deve-se evitar. Todo esse vício nasce do desvirtuamento do amor.

Nossa vida tem dois lados: um eterno, divinamente prometido, outro temporal, no qual estamos agora. Quando alguém começa a gostar mais do temporal que do eterno, julga que tudo deve ser feito a favor do seu lado favorito; e não estima que existem pecados mais graves que aqueles que prejudicam esta vida, sejam os que lhe retiram alguma comodidade de forma iníqua e ilícita, sejam os que, pela morte, arrebatam-lhe a vida inteiramente.

Assim, os ladrões, os usurpadores, os injuriosos, os torturadores e os assassinos são mais odiados que os lascivos, os ébrios e os luxuriosos, contanto que não prejudiquem ninguém. Na verdade, não se entende ou não se dá importância ao fato de que estes últimos ofendem a Deus; realmente não causam a Ele qualquer incômodo, mas, para sua grande perdição, corrompem Seus dons em si mesmos, até mesmo os temporais, e, pela corrupção destes, afastam-se dos bens eternos, especialmente se já começaram a existir como templos de Deus. Pois o Apóstolo diz aos cristãos: *Não sabeis que vós sois o templo de Deus, e que o Espírito de Deus habita em vós? Quem destrói o templo de Deus, será destruído por Ele. Porque o templo de Deus que sois vós é santo*[57].

Os pecados menores: se acaso são admitidos não pela utilidade temporal, mas talvez para a conservação da santidade

18.39 Certamente todos estes pecados, sejam os que prejudicam as pessoas nas comodidades de sua vida, sejam os que causam dano às próprias pessoas sem prejudicar ninguém, embora pareçam proporcionar prazer ou utilidade para esta vida temporal (pois ninguém os cometeria por outro fim e propósito), de vários modos embaraçam e impedem aquela vida que é eterna. Entretanto, alguns desses pecados atrapalham somente os que os cometem, outros, também aqueles contra quem são cometidos. Pois, quando as coisas que guardamos para a utilidade desta vida nos são roubadas pelos iníquos, só eles pecam: são privados da vida eterna somente os que roubam, mas não aqueles contra quem o roubo é cometido. Portanto, embora alguém consinta que essas coisas lhe sejam roubadas, seja para evitar outro mal, seja para não ter que se incomodar ainda mais, não somente não peca, como faz isso, por um lado, de modo louvável e corajoso, por outro, de forma útil e sem culpa. Porém, a santidade e a doutrina, caso os injuriosos queiram violá-las, devem ser conservadas até mesmo com pecados menores, que não prejudiquem ninguém, dadas a condição e a possibilidade de isso ser feito – e assim deixam de ser pecados, porque os sofremos para evitar faltas mais graves.

Do mesmo modo que, nas coisas materiais, seja no dinheiro ou outra comodidade, não se considera dano o que se perde visando um lucro maior, assim também, nas coisas santas, não se considera pecado o que se admite para que algo mais grave não seja admitido. Ora, se aquele que perde algo para não perder ainda mais, for condenado, aquilo que foi dito acima também deve ser considerado pecado, embora suportado para que se evite algo mais grave – o que ninguém duvida, da mesma forma que ninguém duvida que se deva sofrer um dano menor para evitar maior prejuízo.

O pudor em relação ao corpo, a integridade da alma e a verdade da doutrina devem ser conservados em favor da santidade

19.40 Estas três coisas devem ser conservadas em benefício da santidade: o pudor do corpo, a integridade da alma e a verdade da doutrina. Ninguém viola o pudor do corpo sem o consentimento e a permissão da alma. Pois, o que quer que aconteça a nosso corpo, contra nossa vontade e atribuível a força maior, não representa qualquer tipo de impureza. Porém, há razão para permitir, mas nenhuma para consentir. Daí, portanto, que consentimos quando aprovamos e queremos, mas permitimos, contrariamente a nossa vontade, para evitar algo ainda mais ignóbil.

Na verdade, o consentimento na impureza corporal também viola a integridade da alma. Com efeito, a castidade da alma está na boa vontade e no querer sincero, que não se corrompe, a não ser quando amamos e desejamos aquilo que a verdade ensina que não deve ser amado e desejado. Portanto, devemos preservar a sinceridade do amor de Deus e do próximo, pois nisso a castidade da alma é santificada. E devemos fazê-lo com todas as forças possíveis e com orações, para que, se acaso busquem violar a pureza do nosso corpo, nem mesmo o sentido mais externo, que está entrelaçado com a carne, seja tocado por algum prazer; porém, não sendo isso possível, a castidade é preservada pela falta de consentimento.

Ora, a pureza deve ser guardada na alma, no que diz respeito ao amor do próximo, com inocência e benevolência, e no que diz respeito a Deus, com piedade. A inocência consiste em não prejudicarmos ninguém; a benevolência em sermos úteis no que for possível; a piedade, em cultuarmos a Deus.

A verdade da doutrina, religião e piedade não podem ser violadas a não ser pela mentira, mas de nenhum modo pode ser violada a suma e íntima verdade dessa doutrina. Não nos será permitido chegar a essa verdade e nela permanecer a não ser quando o corruptível se revestir do incorruptível e o mortal do imortal[58].

Nesta vida, toda piedade consiste em um exercício que tende à piedade, para a qual a doutrina nos oferece um guia e por meio de palavras humanas e sinais sacramentais palpáveis introduz e expõe a verdade. Por isso, a doutrina, que pode ser corrompida pela mentira, deve ser maximamente preservada incorrupta, para que, se algo for profanado naquela pureza da alma, seja passível de reparação. Pois, uma vez corrompida a autoridade da doutrina, não pode haver caminho de ida ou retorno para a pureza da alma.

O pudor do corpo não é motivo para mentir. Quando a fé é declarada. A pureza da alma

20.41 De tudo o que foi discutido, chega-se a esta conclusão: a mentira que, em nome da pureza do corpo, não viola a piedade da doutrina, nem a inocência, nem a benevolência pode ser admitida. Entretanto, e se alguém se propusesse a amar a verdade de tal modo a não apenas contemplá-la, mas também a enunciar verdadeiramente tudo que é verdadeiro e a não proferir outra afirmação com sua boca que não aquela que concebera e contemplara em sua alma? E se essa pessoa fizesse isso para colocar a beleza da fé verdadeira acima não só do ouro e da prata, das pedras preciosas e do conforto, mas também completamente acima desta vida temporal e de todos os bens do corpo? Não sei se alguém poderia dizer, com conhecimento de causa, que essa pessoa tivesse errado. E se essa mesma pessoa coloca a verdade acima de todos os seus bens, preferindo-a a eles, também retamente fará o mesmo com relação aos bens de outras pessoas, às quais, com sua inocência e benevolência deverá ajudar a salvar. Porque amar a fé perfeita não é somente crer integralmente naquilo que é dito por uma autoridade fidedigna, mas é também enunciar fielmente aquelas coisas que se julgam dignas de serem ditas, e dizê-las. De fato, em latim, a palavra "fé" origina-se de "aquele que faz o que é dito", e é óbvio que o mentiroso não exibe tal comportamento.

Embora a verdade seja menos violada quando alguém mente de tal maneira que acreditem nele ou nela, sem causar nenhum prejuízo ou dano e, ademais, tenha a intenção de conservar seja a salvação, seja a pureza do corpo, mesmo assim, a verdade é violada, e também se viola algo na pureza e santidade da alma que deveria ser conservado. Daí que sejamos obrigados a concluir – não por meio da opinião humana, que muitas vezes erra, mas pela própria verdade, que está acima de tudo e é invencível – que devemos colocar a fé perfeita acima também da pureza do corpo. Porque a pureza da alma é o amor ordenado, o qual não submete as coisas mais valorosas às de menor valor. Todavia, o que pode ser violado no corpo é menos importante que o que pode ser violado na alma. Pois, certamente, quando alguém mente para defender a pureza corporal, de fato, percebe que seu corpo está sendo ameaçado de ser corrompido pela luxúria alheia, mas não pela sua própria; entretanto, procura não dar seu consentimento, de modo que não seja partícipe da luxúria de outra pessoa. Mas essa permissão não está na alma? Portanto, a pureza corporal não se pode corromper a não ser na alma, a qual, não consentindo nem permitindo, de modo algum se pode dizer, com razão, que a pureza do corpo seja violada, seja o que for que tenha sido perpetrado no corpo pela luxúria alheia. Daí conclui-se que a castidade da alma deve ser conservada muito mais na alma, onde se encontra a defesa da pureza do corpo. Por isso, com todas as nossas forças, devemos fortalecer e defender a alma e o corpo com santos costumes e relações, para que não sejam violados por algo externo. Porém, quando não é possível proteger ambos, quem não vê qual dos dois se deve desprezar? É quando vemos o que se deve preferir a quê: a alma ao corpo ou o corpo à alma, a castidade da alma à pureza do corpo ou a pureza do corpo à castidade da alma; é também quando vemos com o que devemos tomar mais cuidado: em permitir o pecado alheio ou em nós mesmos cometê-lo.

Epílogo

21.42 Fica claro, portanto, a partir de tudo que foi discutido, que os exemplos das Escrituras não aconselham outra coisa senão que nunca se deve mentir. Visto que não se encontra nenhum exemplo de mentira digno de imitação nos costumes ou nas ações dos santos no que diz respeito aos escritos que não contenham sentido figurado, como é o caso dos acontecimentos relatados nos Atos dos Apóstolos. E todas as coisas que se relatam do Senhor, no Evangelho, que parecem mentiras aos indoutos, têm sentido figurado. E quanto ao que disse o Apóstolo: *Fiz-me tudo para todos, para a todos ganhar*[59], a forma correta de entender é que não mentia, mas que o fazia por compaixão: com tal caridade agia em prol da libertação deles, que era como se ele próprio sofresse do mal do qual desejava salvá-los. Portanto, não se deve mentir no que diz respeito à doutrina religiosa: trata-se de um grande crime e é o primeiro e mais detestável gênero de mentira. Não se deve mentir o segundo gênero de mentira, porque a ninguém se deve injuriar. Não se deve mentir o terceiro gênero, porque não se deve consentir na injúria de outrem. Não se deve mentir o quarto gênero, ou seja, mentir pelo prazer de mentir, porque é vicioso por si mesmo.

Não se deve mentir o quinto gênero, porque, se nem mesmo a verdade deve ser enunciada com a finalidade de agradar as pessoas, não será a mentira, que, por ser mentira, é sempre vergonhosa, menos ainda? Não se deve mentir o sexto gênero, pois não é correto que a verdade do testemunho seja distorcida para benefício ou segurança de quem quer que seja. Ninguém pode ser levado à salvação eterna com a ajuda de uma mentira, pois não é por meio dos maus hábitos de quem o converte que alguém deve ser convertido a bons costumes; porque, se isso se faz ao prosélito, ele fará o mesmo a outras pessoas e, assim, será convertido não a bons costumes, mas a maus hábitos, já que foi proposto que imitasse posteriormente aquilo que lhe havia sido apresentado na conversão.

Não se deve mentir o sétimo gênero, porque não se deve preferir o conforto ou a saúde temporal de alguém ao aperfeiçoamento da fé. Nossas retas ações não devem ser abandonadas nem mesmo se alguém, por meio delas, seja levado a praticar o mau, e sua alma fique mais corrompida e se afaste para mais longe da fé. Porque, acima de tudo, temos de nos manter no lugar para onde é nosso dever chamar e convidar aqueles que amamos como a nós mesmos; e, com ânimo resoluto, devemos sorver aquela máxima apostólica: *Para alguns somos odor de vida para a vida, para outros, odor de morte para a morte; quem é capaz disso?*[60]

Não se deve mentir o oitavo gênero, porque, no bem, a castidade da alma é mais importante que a pureza do corpo; no mal, aquilo que nós próprios fazemos é maior que o que permitimos que os outros façam. Nesses oito gêneros de pecados relacionados à mentira, quanto mais alguém se aproxima do oitavo, peca menos, e, na medida em que pende para o primeiro, peca mais. Além disso, quem quer que pense que algum gênero de mentira não seja pecado, engana-se a si mesmo da maneira mais infame, porque se acha honesto ao enganar os outros.

Os defensores da mentira são como cegos

21.43 Mas a cegueira que ocupa a alma dos homens é tanta que lhes parece pouco que digamos que algumas mentiras não são pecados e dizem que pecamos se nos recusamos a mentir em certas situações. Eles são levados a defender a mentira com tanta ênfase que defendem até mesmo aquele gênero supremo de mentira, o pior de todos, e dizem que o Apóstolo Paulo fez uso dele. Porque, na Epístola aos Gálatas – que foi escrita, como as outras epístolas, em prol da doutrina da religião e da piedade –, dizem que há uma passagem em que Paulo mentiu, quando disse a respeito de Pedro e Barnabé: *Como visse que não procediam retamente para com a verdade do Evangelho*[61].

Quando, pois, desejam defender Pedro daquele erro e do caminho do vício em que incidiu, esforçam-se por destruir o caminho da religião, em que está a salvação para todos, e acabam por romper e diminuir a autoridade das Escrituras. Quando fazem isso, não se dão conta que propõem que o Apóstolo cometeu não só o crime da mentira, mas também o de perjúrio, porque, em trecho anterior da mesma epístola, em que prega o Evangelho, diz: *Vos escrevo estas coisas, na presença de Deus, por isso não minto*[62]. Mas já é chegado o fim de nossa discussão, e de tudo o que se tratou aqui e foi considerado, nada mais se deve pensar ou orar do que aquilo que o próprio Apóstolo disse: *Fiel é Deus, que não permite que sejais tentados além do que possais suportar, mas fará, com a tentação, também uma saída, para que possais resistir*[63].

Notas

1. Gn 18,15: "Sara negou que tivesse rido, dizendo: 'não ri', pois estava com medo. Mas ele insistiu: 'Sim, tu riste'". • Todas as citações bíblicas estão de acordo com a 50ª edição da *Bíblia Sagrada*. Petrópolis: Vozes, 2005.

2. Gn 27,19: "E Jacó respondeu ao pai: 'Eu sou Esaú, teu filho primogênito. Fiz como me ordenaste. Levanta-te, por favor, senta-te e come de minha caça para me abençoares'".

3. Ex 1,19-20: "As parteiras responderam ao Faraó: 'É que as mulheres hebreias não são como as egípcias. Sendo robustas, antes de a parteira chegar, já deram à luz'. Deus recompensou as parteiras. O povo continuou crescendo e tornando-se muito forte".

4. Ex 20,16: "Não darás falso testemunho contra o teu próximo".

5. Sb 1,11: "Guardai-vos, pois, da murmuração inútil, e da maledicência preservai a língua; porque a palavra secreta não fica sem consequência e a boca mentirosa mata a vida".

6. Sl 5,7: "destróis os mentirosos. Ao homem sanguinário e fraudulento o SENHOR abomina".

7. Mt 5,37: "Seja a vossa palavra sim, se for sim; não, se for não. Tudo o que passa disso vem do maligno".

8. Ef 4,25: "Por isso, renunciai à mentira. Cada um diga a verdade ao próximo, pois somos membros uns dos outros".

9. Ez 16,52: "Carrega, pois, também tu a desonra, porque vieste a ser a advogada de tuas irmãs. Por causa dos pecados pelos quais te rebaixaste mais do que elas, são mais justas do que tu. Envergonha-te também tu e carrega a desonra por teres justificado tuas irmãs".

10. Gl 2,12-13: "Pois, antes de chegarem alguns da parte de Tiago, comia com os pagãos; mas quando chegaram, ele se retraía e se afastava, com medo dos circuncidados. E os outros judeus começaram a fingir com ele, tanto que até Barnabé se deixou arrastar pelo mesmo fingimento".

11. 1Cor 7,18-20: "Alguém era circunciso quando foi chamado? Não dissimule a circuncisão. Foi chamado como incircunciso? Não se faça circuncidar. A circuncisão não é nada, nem o prepúcio; o que conta é a observância dos mandamentos de Deus. Cada um permaneça no estado em que foi chamado".

12. Rm 2,25: "Na verdade a circuncisão é útil se praticas a Lei. Mas se fores transgressor da Lei, a tua circuncisão se torna incircuncisão".

13. At 16,1.3: "Chegou também a Derbe e Listra. Havia ali um discípulo chamado Timóteo, filho de uma judia convertida e de pai grego. [...] Paulo resolveu levá-lo consigo, mas antes o circuncidou por causa dos judeus daqueles lugares, pois todos sabiam que o pai era grego".

14. Gl 2,3-4: "Entretanto, nem sequer meu companheiro Tito, embora grego, foi obrigado a circuncidar-se. Nem mesmo por causa dos falsos irmãos – que furtivamente se introduziam entre nós para espionar a liberdade que tínhamos em Jesus Cristo, a fim de nos escravizar".

15. Gl 5,2: "Sou eu, Paulo, que vos digo: Se vos circuncidardes, de nada vos servirá Cristo".

16. Gl 2,14: "Mas quando vi que não estavam agindo direito segundo a verdade do evangelho, disse a Cefas na presença de todos: 'Se tu, sendo judeu, vives como pagão e não como judeu, por que obrigas os pagãos a adotar os costumes judaicos?'"

17. Sl 5,6-7: "[...] nem os arrogantes manter-se diante do teu olhar. Detestas todos os malfeitores, destróis os mentirosos. Ao homem sanguinário e fraudulento o SENHOR abomina".

18. Mt 10,28: "Não tenhais medo dos que matam o corpo mas não podem matar a alma. Deveis ter

medo daquele que pode fazer perder-se a alma e o corpo no inferno".

19. Sb 1,11: "Guardai-vos, pois, da murmuração inútil, e da maledicência preservai a língua; porque a palavra secreta não fica sem consequência e a boca mentirosa mata a vida".

20. Lv 19,18: "Não te vingues nem guardes rancor contra teus compatriotas. Amarás o teu próximo como a ti mesmo. Eu sou o SENHOR". • Mt 22,39: "Mas o segundo é semelhante a este: *Amarás o próximo como a ti mesmo*". • Mt 19,19: "*Honra pai e mãe e ama teu próximo como a ti mesmo*".

21. Jo 15,12-13: "Este é o meu mandamento: Amai-vos uns aos outros como eu vos amei. Ninguém tem maior amor do que aquele que dá a vida por seus amigos".

22. Gn 19,8: "Vede, tenho duas filhas que ainda são virgens. Vou trazê-las para fora. Podeis fazer com elas o que bem entenderdes; mas nada façais a estes homens, pois vieram acolher-se sob meu teto".

23. Ex 20,15.16: "Não furtarás". "Não darás falso testemunho contra o próximo."

24. 1Cor 15,15: "Seremos inclusive falsas testemunhas de Deus, porque afirmamos contra Deus que Ele ressuscitou Cristo dos mortos, quando de fato não o teria ressuscitado, visto que os mortos não ressuscitam".

25. Ex 20,16: "Não darás falso testemunho contra o próximo".

26. Sl 5,7: "destróis os mentirosos".

27. Ex 20,13: "Não matarás".

28. Mt 15,2.20: "Por que os teus discípulos desobedecem a tradição dos antigos? Pois não lavam as mãos quando comem pão". [...] "É isso o que torna alguém impuro. Mas comer sem lavar as mãos, isso não torna ninguém impuro".

29. Gl 4,22-24: "A Escritura diz que Abraão teve dois filhos: um da escrava nasceu segundo a carne e o da livre, em virtude da promessa. Nisto há um simbolismo: Estas duas mulheres representam as duas alianças:

uma, que procede do Monte Sinai e gera para a servidão, é Agar".

30. 1Cor 10,1-11: "Não irmãos, que ignoreis que nossos pais estiveram todos sob a nuvem, que todos atravessaram o mar e todos foram batizados em Moisés na nuvem e no mar; que todos comeram o mesmo alimento espiritual e todos beberam a mesma bebida espiritual, pois bebiam da rocha espiritual que os seguia, e a rocha era Cristo. Porém, Deus não se agradou da maioria deles, por isso caíram mortos no deserto. Estas coisas, porém, aconteceram para nos servir de exemplo, a fim de que não cobicemos coisas más, como eles cobiçaram. Nem vos torneis idólatras como alguns deles, segundo está escrito: *O povo sentou-se para comer e beber, depois levantou-se para dançar* (Ex 32,6). Nem nos entreguemos à prostituição, como alguns deles se entregaram, tomando mortos vinte e três mil num só dia. Nem tentemos o Cristo, como alguns deles tentaram e pereceram pelas serpentes. Nem murmureis, como alguns deles murmuraram, acabando nas mãos do exterminador. Todas estas coisas lhes aconteciam para servir de exemplo, e foram escritas para advertir a nós, para quem chegou a plenitude dos tempos".

31. Mt 5,39: "Pois eu vos digo: Não resistais ao malvado. Se alguém te bater na face direita, oferece-lhe também a outra".

32. Jo 18,23: "Jesus respondeu: 'Se falei mal, mostra-me em quê, mas se falei bem, por que me bates?'"

33. At 23,3: "Então Paulo falou: 'Deus te ferirá também a ti, parede caiada. Tu estás sentado aí para julgar-me segundo a Lei, e contra a Lei ordenas ferir-me?'"

34. Rm 9,1: "Digo-vos a verdade em Jesus Cristo e não minto, minha consciência me dá testemunho pelo Espírito Santo". • Fl 1,8: "Deus me é testemunha de quanto vos quero bem a todos vós com a ternura de Jesus Cristo". • Gl 1,20: "No que escrevo, afirmo diante de Deus que não minto".

35. Mt 5,34.37: "Pois eu vos digo: Não jureis de maneira alguma, nem pelo céu, pois é o trono de Deus. Seja a vossa palavra sim, se for sim; não, se for não. Tudo o que passar disso vem do maligno".

36. Mt 6,34: "Não vos preocupeis com o dia de amanhã. O dia de amanhã terá suas próprias dificuldades. A cada dia basta o seu peso". • Mt 6,25: "Por isso vos digo: Não vos preocupeis com vossa vida, com que comereis, nem com o corpo, com o que vestireis. Não será a vida mais do que o alimento e o corpo mais do que as vestes?"

37. Jo 12,6: "Falava assim, não porque se interessasse pelos pobres, mas porque era ladrão. Tomava conta da bolsa e roubava o que nela depositavam".

38. At 11,28-30: "Um deles, de nome Ágabo, pôs-se a anunciar pelo Espírito uma grande fome em toda a terra. Esta fome aconteceu quando Cláudio era imperador. Então os discípulos resolveram enviar uma ajuda aos irmãos da Judeia, cada um segundo suas posses. Assim o fizeram, enviando a coleta aos anciãos por meio de Barnabé e Saulo".

39. Lc 10,4.7: "Não leveis bolsas, nem sacola, nem sandálias e a ninguém saudeis pelo caminho. Permanecei nessa casa, comei e bebei do que vos servirem. O operário merece seu salário. Não andeis de casa em casa". • Mt 10,10: "nem sacola para o caminho, nem duas túnicas, nem calçados, nem bastão, porque o operário é digno de seu sustento".

40. Gl 6,6: "Aquele que está sendo instruído na palavra reparta todos os seus bens com quem o catequiza".

41. 1Cor 9,12: "Se outros têm o direito de participar do que é vosso, por que não o teríamos nós, com mais razão ainda?"

42. Sl (15)14,2-3: "Aquele que age com retidão e pratica a justiça; que, no fundo do seu coração, diz a verdade e não traz a calúnia na língua; que não causa dano ao seu companheiro nem insulta seu próximo".

43. Sb 1,6-11: "Com efeito, a sabedoria é um espírito que ama o ser humano, mas não deixa impunes os lábios do blasfemador, pois Deus é testemunha de seus pensamentos, observador veraz do seu coração, e escuta o que diz sua língua. Porque o espírito do Senhor enche a terra: Ele, que a tudo dá consistência, tem conhecimento de tudo que se diz. Por isso não ficará oculto quem profere coisas injustas: a justiça vingadora não o poupará. Haverá

investigação sobre os planos do ímpio: o som de suas palavras chegará até ao Senhor, para que sejam comprovadas suas iniquidades. Um ouvido ciumento tudo escuta: nem o resmungo das murmurações lhe escapa. Guardai-vos, pois, da murmuração inútil, e da maledicência preservai a língua; porque a palavra secreta não fica sem consequência e boca mentirosa mata a vida".

44. Mt 15,16-20: "Ele respondeu: 'Também vós ainda não compreendeis? Não sabeis que o que entra pela boca desce ao estômago e é evacuado para o esgoto? Mas o que sai da boca provém do coração, e isso torna a pessoa impura. Porque do coração provêm os maus pensamentos, os homicídios, os adultérios, a prostituição, os roubos, os falsos testemunhos, as calúnias. É isso o que torna alguém impuro. Mas comer sem lavar as mãos, isso não torna ninguém impuro'".

45. Eclo 7,13: "Evita proferir qualquer mentira, pois tal hábito não é para bem".

46. Eclo 5,5-7: "Não fiques confiante por causa do perdão, acumulando pecado sobre pecado. Não digas: 'Sua misericórdia é grande, ele perdoará a multidão de meus pecados!', pois nele há misericórdia e ira, e seu furor se abaterá sobre os pecadores. Não tardes em voltar ao Senhor, nem adies de um dia para outro. Pois a ira do Senhor virá de repente, e no dia do castigo serás aniquilado".

47. Sl 5,7: "Detestas todos os malfeitores, destróis os mentirosos".

48. Jo 3,21: "Mas quem pratica a verdade vem à luz, para que as obras apareçam, pois são feitas em Deus".

49. Ex 20,12: "Honra teu pai e tua mãe, para que vivas longos anos na terra que o senhor teu Deus te dá".

50. Mt 8,22: "Jesus, porém, lhe respondeu: 'Segue-me e deixa que os mortos enterrem os seus mortos'".

51. Pr 29,27 (24,23)

52. Sl 5,7: "destróis os mentirosos. Ao homem sanguinário e fraudulento o senhor abomina".

53. Gl 6,4: "Examine cada um sua própria conduta e encontrará em si mesmo, e não nos outros, ocasião de se gloriar".

54. Mt 5,34: "Pois eu vos digo: Não jureis de maneira alguma, nem *pelo céu*, pois é o *trono de Deus*".

55. Pr 29,27 (24,23)

56. Jo 1,3: "Todas as coisas foram feitas por meio dela e sem ela nada se fez do que foi feito".

57. 1Cor 3,16-17: "Não sabeis que sois templo de Deus, e que o Espírito de Deus habita em vós? Se alguém destrói o templo de Deus, Deus o destruirá. Porque o templo de Deus é santo, e esse templo sois vós".

58. 1Cor 15,53: "Porque é preciso que este ser corruptível se revista da incorruptibilidade, e que este ser mortal se revista da imortalidade".

59. 1Cor 9,22: "Com os fracos tornei-me fraco, para ganhar os fracos; fiz-me tudo para todos, para salvar alguns a todo custo".

60. 2Cor 2,16: "Para estes, na verdade, perfume de morte para a morte, para aqueles, perfume de vida para a vida. E quem é capaz de fazer isso?"

61. Gl 2,14: "Mas, quando vi que não estavam agindo direito segundo a verdade do evangelho, disse a Cefas na presença de todos: 'Se tu, sendo judeu, vives como pagão e não como judeu, por que obrigas os pagãos a adotar os costumes judaicos?'"

62. Gl 1,20: "No que escrevo, afirmo diante de Deus que não minto."

63. 1Cor 10,13: "Nenhuma tentação vos assaltou que não fosse humana. Deus é fiel: Ele não permitirá que sejais tentados acima de vossas forças; mas, com a tentação, ele dará os meios para que possais resistir-lhe".

Vozes de Bolso

- *Assim falava Zaratustra* – Friedrich Nietzsche
- *O Príncipe* – Nicolau Maquiavel
- *Confissões* – Santo Agostinho
- *Brasil: nunca mais* – Mitra Arquidiocesana de São Paulo
- *A arte da guerra* – Sun Tzu
- *O conceito de angústia* – Søren Aabye Kierkegaard
- *Manifesto do Partido Comunista* – Friedrich Engels e Karl Marx
- *Imitação de Cristo* – Tomás de Kempis
- *O homem à procura de si mesmo* – Rollo May
- *O existencialismo é um humanismo* – Jean-Paul Sartre
- *Além do bem e do mal* – Friedrich Nietzsche
- *O abolicionismo* – Joaquim Nabuco
- *Filoteia* – São Francisco de Sales
- *Jesus Cristo Libertador* – Leonardo Boff
- *A Cidade de Deus – Parte I* – Santo Agostinho
- *A Cidade de Deus – Parte II* – Santo Agostinho
- *O conceito de ironia constantemente referido a Sócrates* – Søren Aabye Kierkegaard
- *Tratado sobre a clemência* – Sêneca
- *O ente e a essência* – Santo Tomás de Aquino
- *Sobre a potencialidade da alma* – De quantitate animae – Santo Agostinho
- *Sobre a vida feliz* – Santo Agostinho
- *Contra os acadêmicos* – Santo Agostinho
- *A Cidade do Sol* – Tommaso Campanella
- *Crepúsculo dos ídolos ou Como se filosofa com o martelo* – Friedrich Nietzsche
- *A essência da filosofia* – Wilhelm Dilthey
- *Elogio da loucura* – Erasmo de Roterdã
- *Utopia* – Thomas Morus
- *Do contrato social* – Jean-Jacques Rousseau
- *Discurso sobre a economia política* – Jean-Jacques Rousseau
- *Vontade de potência* – Friedrich Nietzsche
- *A genealogia da moral* – Friedrich Nietzsche
- *O banquete* – Platão
- *Os pensadores originários* – Anaximandro, Parmênides, Heráclito
- *A arte de ter razão* – Arthur Schopenhauer
- *Discurso sobre o método* – René Descartes
- *Que é isto – A filosofia?* – Martin Heidegger
- *Identidade e diferença* – Martin Heidegger
- *Sobre a mentira* – Santo Agostinho
- *Da arte da guerra* – Nicolau Maquiavel
- *Os direitos do homem* – Thomas Paine
- *Sobre a liberdade* – John Stuart Mill
- *Defensor menor* – Marsílio de Pádua

- *Tratado sobre o regime e o governo da cidade de Florença* – J. Savonarola
- *Primeiros princípios metafísicos da Doutrina do Direito* – Immanuel Kant
- *Carta sobre a tolerância* – John Locke
- *A desobediência civil* – Henry David Thoureau
- *A ideologia alemã* – Karl Marx e Friedrich Engels
- *O conspirador* – Nicolau Maquiavel
- *Discurso de metafísica* – Gottfried Wilhelm Leibniz
- *Segundo tratado sobre o governo civil e outros escritos* – John Locke
- *Miséria da filosofia* – Karl Marx
- *Escritos seletos* – Martinho Lutero
- *Escritos seletos* – João Calvino
- *Que é a literatura?* – Jean-Paul Sartre
- *Dos delitos e das penas* – Cesare Beccaria
- *O anticristo* – Friedrich Nietzsche
- *À paz perpétua* – Immanuel Kant
- *A ética protestante e o espírito do capitalismo* – Max Weber
- *Apologia de Sócrates* – Platão
- *Da república* – Cícero
- *O socialismo humanista* – Che Guevara
- *Da alma* – Aristóteles
- *Heróis e maravilhas* – Jacques Le Goff
- *Breve tratado sobre Deus, o ser humano e sua felicidade* – Baruch de Espinosa
- *Sobre a brevidade da vida & Sobre o ócio* – Sêneca
- *A sujeição das mulheres* – John Stuart Mill
- *Viagem ao Brasil* – Hans Staden
- *Sobre a prudência* – Santo Tomás de Aquino
- *Discurso sobre a origem e os fundamentos da desigualdade entre os homens* – Jean-Jacques Rousseau
- *Cândido, ou o otimismo* – Voltaire
- *Fédon* – Platão
- *Sobre como lidar consigo mesmo* – Arthur Schopenhauer
- *O discurso da servidão ou O contra um* – Étienne de La Boétie
- *Retórica* – Aristóteles
- *Manuscritos econômico-filosóficos* – Karl Marx
- *Sobre a tranquilidade da alma* – Sêneca
- *Uma investigação sobre o entendimento humano* – David Hume
- *Meditações metafísicas* – René Descartes
- *Política* – Aristóteles
- *As paixões da alma* – René Descartes
- *Ecce homo* – Friedrich Nietzsche
- *A arte da prudência* – Baltasar Gracián
- *Como distinguir um bajulador de um amigo* – Plutarco
- *Como tirar proveito dos seus inimigos* – Plutarco

Conecte-se conosco:

f facebook.com/editoravozes

⌾ @editoravozes

🐦 @editora_vozes

▶ youtube.com/editoravozes

🗨 +55 24 2233-9033

---

www.vozes.com.br

Conheça nossas lojas:

www.livrariavozes.com.br

Belo Horizonte – Brasília – Campinas – Cuiabá – Curitiba
Fortaleza – Juiz de Fora – Petrópolis – Recife – São Paulo

EDITORA VOZES LTDA.
Rua Frei Luís, 100 – Centro – Cep 25689-900 – Petrópolis, RJ
Tel.: (24) 2233-9000 – E-mail: vendas@vozes.com.br